Gentle Discipline —— 50 Effective Techniques for Teaching Your Children Good Behavior

【推薦文】

良好的管教不是處罰，而是指導

◎吳淑玲／台北市立師院幼教系講師

《不打不罵教孩子50招》是一本「教養百寶袋」，50種管教孩子的因應之道，來自美國專業的婚姻、家庭和教養諮商師——唐萊特的經驗與建議。全書共分五大部分：

1. 十種避免親子衝突的技巧
2. 十種幽默溝通的技巧
3. 四種提供好環境的技巧
4. 十六種由結果學到教訓的技巧

5.十種降低父母壓力的技巧

技巧很多，方法很好，需要爸爸媽媽慢慢的消化和內化。不需急著看完這本書，您可以讀一部分、然後想一部分、再然後實踐一部分；相信這本書提供的教養錦囊，對您的家庭和孩子永遠受用！

目錄

謹將此書獻給我的雙親，是他們讓我站在他們的肩頭遠眺。

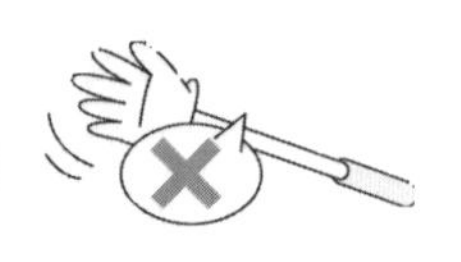

前言

在美國有句諺語：「不教不成器。」這個諺語典故出自《聖經》，原文是：「不忍杖打兒子的，是恨惡他。疼愛兒子的，隨時管教。」（箴言13：24）。在早期，牧人以杖管理羊群，杖的主要作用在引導羊隻，保護牠們免於危險，而非杖打牠們。我們可以從另一個諺語中得到佐證：「你的杖、你的竿，都安慰我。」（詩篇23）

就像《聖經》中的道理，在本書，好的親職是建立在關愛、尊敬、引導、教育和保護孩子免於傷害的基礎上。

人們依經驗行事，那是大家所知最好的方式。

——維吉妮亞薩提

內容簡介

你想成爲更好的父母，也許我能助你一臂之力。只要翻開這本小書，你就已經顯現出對孩子的關愛，也已經許下承諾。我相信你已經是個好父母，如果我能再給你一些主意，或許能讓你們生活得更愜意，讓你的工作更順利，家庭更愉悅。

多年前，爲了成爲一名婚姻、家庭和教養諮商師，我在加州艾斯康狄度的諮詢中心受訓。在一名領有專業執照的心理師擔任督導的情況下，我輔導了許多有困擾的孩子。我還遇到許多盡心盡力教養孩子，卻精疲力盡的父母，是這些父母促使我寫下此書。他們嘗試了所知的一切方法，但很不幸的，他們的孩子依然繼續說謊、偷竊、在學校惹事生非、在街頭打架或者逃家。這樣的狀況眞是令人感到難過。

顯然這些父母很愛他們的孩子，而且想要幫助孩子，但他們感到挫折、難堪、洩氣。這些孩子年齡各不相同，他們住在不同的社區，就讀不同的學校，他們的種族和宗教信仰也不相同。但在一個很重要的點上，這些家庭竟是雷同的：他們都有管教失效的困擾。

也許你很幸運，你的孩子在家裡或學校都沒有給你惹過大麻煩，你不必像其他父母那樣擔心。不管你目前的狀況如何，家裡若有一個令人頭疼的孩子，就傳遞出一個很明顯的訊息：有效的管教是使每個孩子成功的方法。我相信，良好的管教是家庭幸福的要素之一。

人們常誤解「管教」這個詞。在與孩子互動時，我覺得下面兩項有關管

教的原則很重要。

良好的管教不是處罰，而是指導

處罰本身會帶給孩子迷惑、憤怒和反抗；但有效的管教能教導孩子適當的行爲，去除不當行爲（本書會以良好／適當、惡劣／不當來形容行爲）。良好的管教增加自信心、責任感，並察覺自己值得讚美的行爲。要獲得成功，這些都是孩子需要的裝備。

沒有盡善盡美的管教法

沒有哪種管教法能完全掌控孩子。教養是一件辛苦的工作，孩子很快就長大了，父母必須在他們離巢前，確定孩子知道世界是如何運作的。好的管教方法能幫助你建立一個良好的親子關係，以便讓你教導孩子他該知道的世事。

如何讓管教在家中發揮功效，必須憑藉許多因素，包括孩子的年齡、他的特殊需求，以及情境。因此，我鼓勵你現在就開始發展一個大大的「百寶袋」。百寶袋裡裝著你累積的各種管教點子，有些父母很幸運，因爲他們的百寶袋比別人大一點。你從「百寶袋」裡找到你需要的方法，並透過嘗試錯誤的過程，找到有效和無效的方法。重要的是，你不輕言放棄。

身爲一名研究人類行爲的學生，我發展出一個很大的百寶袋，裡面裝了無數非暴力的管教法。我稱這些非暴力的管教法爲「高階」的管教，因爲我相信它們反映出人類進化的狀態。在我看來，那些體罰孩子的父母（這是多數父母的做法），他們雖已盡力而爲，但他們可能還需要在自己的百寶袋裡多

放一些東西。同時，我覺得他們之所以體罰孩子，是因爲他們不瞭解體罰會帶來什麼樣的負作用。

下面是反對以體罰來管教孩子的四項理由。

體罰教導暴力

這點可以從以下案例看出。

我有一次協助一個看似平常的家庭。這個家庭是個中產階級，父母都很年輕、聰明，他們有兩個兒子：一個十一歲，一個十四歲。惹父母生氣的是十一歲的「湯米」，他在學校經常跟人打架，他從三年級開始就有這個問題。湯米的老師向父母抱怨，說湯米常去挑釁別的同學，特別是年紀小或有障礙的學生。湯米的母親認爲老師應該爲湯米的暴力行爲負責，因此考慮把他轉到別班，或者——如果可能——轉到別校。但在跟這家人一一談過之後，我發現了一個事實——湯米在家常被打，他的父母和哥哥都會打他。我相信他們的出發點都是好意，只想管教他的不當行爲。但是在採取第一步治療時，我就建議這對父母要完全承擔管教兒子的責任（湯米的哥哥日後不能再執行親職工作）。我同時建議他們，要徹底放棄體罰的管教方式。

希望你能從這個案例瞭解到孩子是如何在家庭中學習到暴力。湯米在他的家庭裡學到一件事：打人是解決問題和處理壓力情境的方法。他學到對人施以暴力，以遂其所願，是可被接受的行爲，換句話說：「強權即公理。」湯米的父母以體罰的方式向他顯示了他們的權威，而湯米則以打架的方式向同儕顯示他的權威。

體罰對孩子的身心可能造成危害

體罰的定義：因爲孩子犯錯或不服從，在孩子身體上製造疼痛的感受。這不包括暫時性的約束（參考「方法三十三，約束技巧」），也不包括取走孩子準備拿來破壞東西的武器，例如石頭之類（參考Maurer的《*Corporal punishment Handbook*》p.1）。父母通常會用皮帶、木板、手進行體罰，但除此外，體罰的工具其實各色各樣。體罰是指成人打小孩，因此它可能造成身體上的傷害。例如，打孩子的頭或臉可能傷害到孩子的眼睛、耳朵和大腦，而你知道這個風險嗎？（Taylor and Maurer,《*Think Twice*》）。

孩子可能因爲被打而產生心理上的問題，像極端憤怒和攻擊的行爲，此外，孩子通常會因此出現低自尊的狀況。簡單地說，孩子如果被打，他會覺得自己是壞孩子，而不是因爲他的行爲不良或不適當。

體罰無效

研究顯示，體罰是無效的管教方式（McCormick,《*Attitudes of Primary Care Physicians Toward Corporal Punishment*》p.316）。體罰與其說是能控制孩子，不如說它對父母抒發壓力的效果較大。短期來看，體罰能暫時讓孩子表現較好的行爲，但長期上卻會造成父母和孩子雙方更多的問題。例如，父母可能會產生罪惡感和悔恨的感受，而孩子則錯失從父母身上學到重要的因應技巧——這些都是他們往後需要具備的技巧，像如何透過說理的方式解決問題，如何用健康及非暴力的方式表達憤怒。

體罰可能使你觸法

現在全國都實施兒虐通報的規定。雖然對肢體虐待的定義很多，但一般

來說，成人任何可能對孩子造成非意外性身體傷害的行爲，都稱之爲虐待。父母在挫折或盛怒下責打孩子時，很不幸的，常會造成虐待型的傷害。美國各州對虐待兒童所施以的懲罰各不相同，但通常在處理兒童虐待案件時，會將這個孩子自他的家庭中帶走。

因此，父母選擇什麼方式管教孩子非常重要。身爲父母，你會做什麼樣的決定，往往取決於你覺得自己有多少選擇，以及你蒐集到多少資訊。我撰寫本書的目的就在提供新的親職觀念，提供你更多的選擇和資訊，如此，你便可以爲你的孩子做最好的決定。

在書中，有五十種方法協助你和孩子建立健康、愉快的關係。爲了方便起見，我把這五十種方法分成五個部分。第一個部分提供簡單、有效的十種避免與孩子衝突的技巧。第二部分，討論如何改進你和孩子溝通的特殊方法，包括口語及非口語的溝通。第三部分，詳細說明如何藉由塑造和改善環境的方法，來控制孩子的行爲。第四部分，討論讓孩子由結果得到教訓的重要；我將在這一部分描述許多可以鼓勵孩子出現正向行爲的方法，以及鼓勵孩子不要出現負向行爲的方法。最後，第五部分，則是討論父母的需求。我要教你如何減低生活中的壓力，發展支持系統；也會建議各種保持身心穩定的方法，讓你對自己產生最佳的感受，發揮較好的親職功能。

希望你花點時間讀完這五十種方法。我建議你讀完一兩種方法後就先擱下書，花一整天時間消化書中的內容，想一想要怎麼將它應用在你和家人身上。預祝你在探索如何與孩子建立更健康、愉快的關係道路上，能順利成功。

唐萊特

從父母身上學習管教之道

沒有所謂「完美的童年」這回事。因爲諸多原因，生活中充滿了壓力。

回想你的童年，你想到些什麼？你可能會想到一些對你造成持續影響的事件；也許你的父母在你小時候離異，而你跟隨其中一方搬到一個陌生的社區；你也許記得某個生日或假期。你的回憶多半是快樂的嗎？或者它們充滿了悲傷、不舒服和悔恨？你被什麼樣的父母扶養長大？

父母管教的方式各不相同，但大約可分成幾種類型：專制型、寬容型和威信型。

如果你的父母是專制型父母，他們可能對你非常嚴苛，非常權威，並以嚴厲威脅的方式管教你。你必須接受他們的價值觀，完全照著他們的意思做事。雖然他們愛你，但他們可能不太常表露出來，而你獲得處罰的機會遠比獎賞來得多。專制型的父母會訂下難以遵從的家規，尤其在你年紀稍長、需求改變時，更覺得難以遵從。你可能會覺得專制型的父母並不瞭解你，也無法接納你。他們通常不能忍受別人和他們的想法和意見相左。你可能會覺得他們一直想控制你、糾正你，並且把你塑造成他們理想中的樣子。當然，你辦不到，也不應該再嘗試達到那樣的標準。一個人若想照著別人的期望生活，絕對不會快樂。

如果你的父母是寬容型父母，你在充滿愛的家庭中長大，但組織性和持續力可能不太好。父母對你沒有什麼要求和限制。基本上來說，你既不會得到處罰，也少有獎賞。生活在一個寬容型的家庭裡，也許有一點困擾和挫

折。你的父母並不會時時擔起親職。他們可能會忽略教導你重要的事情，或者沒有教導你獨立所需要的技能。不幸的是，沒有他們的引導和支持，你必須以更辛苦的方式學到這些技能。

如果你在威信型的家庭中長大，你佔了優勢。你的父母用各種方式教導你。他們教你如何表現出成熟負責的態度，而在你做到時，他們給予獎勵。你威信型的父母非常關心和愛護你。你覺得他們眞的有在傾聽你的心聲，而且鼓勵你自我思考。家規依照你的年齡和需求設定，合情合理，並隨著時間加以調整，讓你有更多自由，爲自己負起更多責任。當你破壞家規時，必須承擔後果，不過他們通常給予的獎勵多於懲罰。你覺得自己是獨特的人，具有獨立自主的能力，你在這樣的感受中長大。

查理惠特菲爾博士是《治療內在的孩子》（*Healing the Child Within*）一書的作者，根據他的說法，大約有百分之八十到九十五的成人，在其成長的環境中，「在形成穩固而健康的關係上，以及在對自我及自我行爲形成正向感受上」，沒有得到足夠的關愛、引導和養育。

雖然事實如此，但我之所以在此提出這一點，用意在讓你對自己充滿希望：知道多半的人都來自不完美的家庭，因此，不管你是在哪種類型的家庭中長大——困擾不斷、一點困擾也沒有、或介於兩者之間——都還有演進的空間。我們都有能力繼續成長與發展，不管是從一個人或從父母的角色來看。

我認爲你必須採取三個步驟，才能經驗生命中的改變和成長。

第一步是自覺。如果童年是一個人的基礎，那麼你必須瞭解你的原生家庭（如果你還不瞭解的話）。你是在你的原生家庭中學習到如何與人溝通互動，如何表達憤怒，如何施予和接受關愛，當然，還有如何做父母。

在你採取第一步時，會漸漸意識到許多源於童年時的議題（可能是問題

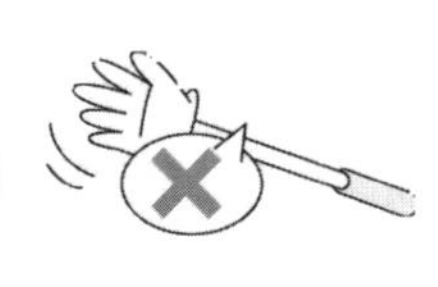

和衝突）。例如，信任、低自尊，或無私的忽略自我需求的行爲等議題。我建議你盡快去處理這些議題，不只是因爲它們造成你情緒上的困擾，更因爲它們會阻止你成長，阻止你發展成一個完整的人（參考「方法四十九，爲自己做個人治療」）。

成長的第二步是學習新技能。在生活中的各個面向上，技能的建立是成功的要素。所謂的技能，包括吸收新資訊，以充實自己的力量，協助自己因應快速變遷的世界所帶來的挑戰。舉例而言，身爲父母，你必須自我教育，學習什麼是對孩子來說適當或不適當的行爲。你同時要具備更廣泛的實用技能——不只是管教的技巧，同時要改善你和孩子的溝通狀況，並且學習控制自己的憤怒。記住，要放棄舊習慣，和無效的互動方法，你必須要用新的互動方法來取代它們。讓這些新技能改善你的生活和人際關係。

最後一個步驟是尋求支持。改變和成長要冒風險，這樣的過程令人感到畏懼，尤其是如果你的成長背景缺乏一個良好的示範模式。當你在學習新的處事方式，嘗試這些新的技巧時，也許覺得很尷尬，很不自在。這些不舒服的感覺會讓你再退縮回到熟悉和較無效的老路上。正因如此，尋求支持就變得很重要（參考「方法五十，加入父母匿名團體」）。

身為父母，你只是家庭成員之一，但你是很重要的成員。你的改變會引發家中其他人跟著改變。你成長意味著家人也會成長。你的父母盡力養育你，現在輪到你養育你的家人。所以，讓我們開始行動吧。

請注意：這五十種方法是為各種不同年齡和發展階段的孩子所設計。在每個方法的最後，註明適用的年齡範圍，或針對特殊年齡層的孩子提出不同的建議。這些年齡層包括：

二歲以下：嬰兒和二歲以下的兒童。

二到五歲：學齡前的二到五歲兒童。

六到十二歲：學齡期的六到十二歲兒童。

青少年：十三到十九歲的青少年階段。

這些建議應視爲對你及孩子的一般原則。如果你知道孩子有生理或心理上的障礙，請在使用書上所描述的管教方法前，先徵詢你的家庭醫生。最重要的是，絕對不能拿孩子的健康和安全來冒險。

第一部

十種避免與孩子發生衝突的技巧

1 忽略不適當的行為

關於這一點，有則故事可以用來說明。

有個小女孩每天在學校都會用頭去敲牆壁。班上每個人，包括老師在內，看到這種情況當然很緊張，都跑去阻止她，用各種方法安撫她。經過一段日子，學校終於請了心理師來處理這個案子。在小女孩不知情的情況下，心理師建議導師和班上其他同學，在小女孩再出現敲頭的行爲時不要理會。第二天，小女孩到了學校，又像往常一樣敲頭，但班上的人都不理會她。又隔一天，還是沒有人理會她。之後，小女孩敲頭的次數愈來愈少。最後，這個不適當的行爲就完全消失了。

沒錯，這個小女孩子的案例很特別，但它傳遞一個重要訊息：有時候孩子的不當行爲之所以會頻頻出現，是因爲能得到父母的注意。正向（如讚美）或負向（如批評）的注意都是注意，但對有些不當的行爲，不注意它有時是最有效的治療方法。如果你認爲孩子某個不當行爲是爲了贏得你的注意，試著不要去理會他。「忽略」技巧有時候對孩子很有效，尤其父母如果使用得當的話。

以下是使用「忽略」技巧時要謹記的原則：

◎所謂「忽略」就是要完全不去注意孩子。不對孩子做任何反應——不要大叫、不要注視、不要跟他說話。（父母盡管清楚地意識到孩子的舉動，但在那段時間要去做別的事情。）

◎在孩子做不適當行爲的那段時間裡，要完全忽略他。這段時間可能是五分鐘，也可能長達二十五分鐘，所以要有心理準備。

◎要讓家裡其他大人或成員與你配合，也不要理會那個孩子。

◎最後一點，在孩子停止不適當的行爲時，要稱讚他。例如，你可以說：「我很高興你停止亂發脾氣。我不喜歡人家亂發脾氣，因爲大叫很刺耳。你不大叫的時候，跟你相處起來就愉快得多。」

「忽略技巧」最重要的是要有耐心，而且謹記，你不是忽略那個孩子，而是忽略他的不當行爲。

【適用二歲以下／二到五歲／六到十二歲／青少年】

2 離開現場

有一次我看到一位無家可歸的年輕媽媽，她帶著一個五歲小女孩，小女孩循規蹈矩地坐在她旁邊。我問這位母親，她有什麼秘訣，能讓她的孩子這樣守規矩。她對我說，每次她女兒亂發脾氣時，她就走開，到稍遠的地方坐著抽菸，如果有狀況，再隨時回來保護她。因爲這個母親暫時離開現場，可以避掉孩子無理的要求，自己又能保持平靜的心情。

不管是哪個年齡層的孩子，有時候他們眞的會令父母忍不住抓狂。年紀大一點的孩子，當他們不想遵守規矩時，例如「不准在客廳打球」，「不准在

沒有大人監督下開派對」，他們眞的會做出超乎你想像的破壞行爲。如果你發現自己快要失控，不要猶豫，趕快找一個喘息的機會（參考「方法四十二，學習放鬆」）。給自己和孩子一個冷靜的機會。抽菸是一個方法，但我們不建議採用這個辦法。

【適用二歲以下／二到五歲／六到十二歲／青少年】

3 讓孩子分心

避免衝突的另一個辦法是使用「分心法」。孩子容易分心，特別是年幼的孩子。他們注意力維持的時間很短，很容易受到外界環境刺激的影響。如果你看到孩子快要出現不當行爲時，試著轉移他的注意力。如果孩子年紀很小，你可以這樣說：「看那邊！你看到什麼沒有？是一面鏡子！你能不能對著鏡子做一個鬼臉？」或者你可以引導孩子做適當的行爲，例如：「過來坐在我的大腿上，我來唸故事書給你聽。」

分心法也可以用在年紀較大的孩子身上。例如，如果兄弟姊妹在爭吵，

你可以建議他們去打電動玩具或看電視。有時候孩子會停止他們正在做的事情，加入大人的活動。例如，你可以對孩子說：「來，到廚房（或車庫、後院）幫我的忙。你可以做我的助手。」

如果你態度友善、熱情、幽默，孩子很可能停下手邊的事情，照著你的吩咐做。

【適用二歲以下／二到五歲／六到十二歲／青少年】

4 用適當的行為替代不適當的行為

如果孩子正在做某個不適當的行爲，給他另一個適當的行爲做。必須教孩子什麼時候、在什麼地方、如何做適當的行爲。只讓孩子知道他們的行爲不可取並不夠，還應該盡可能給他們一個替代的行爲。例如：

◎如果孩子正在用蠟筆畫沙發，給他一本著色簿。

◎如果孩子用母親的化妝品畫得滿臉都是，給他一組孩子用的、易卸妝的化妝用品。

◎如果孩子朝大街上扔石頭，給他一顆棒球，讓他練習投接球。

如果孩子正在玩某樣易碎或不適當的東西，試著找一個替代的遊戲或玩具讓他玩。為了發揮創造力及發洩精力，孩子們不斷在尋找發洩的管道。為了防患未然，學習如何迅速找到便宜的替代品，取代孩子不適當的行為，是不二法門。

【適用二歲以下／二到五歲／六到十二歲／青少年】

5 尋找正向特質

沒有人喜歡被批評。批評很傷人！遭受批評的孩子會感到憤怒，表現出防衛的態度。結果，他們更不願意合作。但是，面對孩子不當行爲時，批評又是必要的。所以，你要怎樣批評孩子又不會引發衝突呢？當然，就是表達要婉轉溫和。「裹著糖衣，苦藥才吞得下去」，這句話的道理大家都知道。讓你的批評溫和一點，孩子或許就會聽得進去，這對你也好。我建議父母要以讚美來緩和批評的字句。下面是一些例子：

◎父母：我覺得你的歌聲很好聽，只是餐桌上不適合唱歌。

◎父母：你足球踢得很棒，只不過足球是要在足球場上踢的，而非教室裡。

◎父母：謝謝你告訴我實話，但下次再到你朋友家之前，我希望你先跟我說一聲。

我輔導過一個名叫「安妮」的少女，有一天她蹺課去安慰一位朋友，那位朋友家裡出現危機，她正打算逃家。安妮的母親爲了這件事大爲光火。我認同她母親的看法，蹺課是不好的行爲，但也指出安妮是爲了照顧和支持她的朋友才這麼做。要從孩子不適當的行爲中找到負向特質很簡單，不過下次，當孩子做了某件你不樂見的行爲時，請試著從中找出他的正向特質。

【適用二歲以下／二到五歲／六到十二歲／青少年】

6 提供選擇

你有沒有想過，爲什麼孩子有時候一口就拒絕父母的意見或指示？答案很簡單：鞏固他獨立自主的權益，是孩子的本能。爲了避免在這一點上和孩子發生衝突，「提供選擇」是個好辦法。

一天中很多事情都可以給孩子有選擇的權利。例如：

◎食物：你早餐要吃煎蛋還是麥片？你晚餐喜歡吃紅蘿蔔還是玉米？

◎衣服：你想穿藍色還是黃色襯衫上學？你要自己打扮還是要我幫忙？

◎家務：你要在晚餐前還是晚餐後做家務？你要倒垃圾還是洗碗？

提供選擇很重要，因爲這能鼓勵孩子思考。孩子從自我做決定中，得到掌握感和自尊心；而父母則藉著這樣的做法，既支持了孩子想獨立自主的需求，又維持對孩子行爲的某種掌控。

【適用二歲以下／二到五歲／六到十二歲／青少年】

7 善用幽默感

在困難的成長過程中，我們逐漸變得嚴肅了——也許太過嚴肅。舉個例子來說，孩子一天會笑四百多次，但一個成年人一天平均卻只笑十五次（Corridan and Hoch, "*Fun Facts*," p.80）。成年人大可多加善用幽默感，尤其是在和孩子互動的時候。不管是身體還是心理的壓力，幽默都是釋放壓力、因應困境的好方法。

我記得有一次，我在一家專門收容無家可歸及家暴婦女的收容所工作。一名婦人正在談她如何從她施暴的丈夫手中脫逃的經過，這時，那名婦人的

小女孩打斷她，吵鬧著要母親帶她去游泳。母親馬上就回應她，但不像一般人那樣責罵她：「不要吵鬧！」而是以誇張的態度模仿女兒吵鬧的表情和口吻說：「媽，我要去游泳，媽！快點，媽，現在就帶我去游泳！」不到幾秒鐘，小女孩從中看到自己滑稽的行爲，母女倆笑成一團。之後，我注意到，那個小女孩不再以吵鬧的態度跟母親說話。

用輕鬆的態度誇大某種不當行爲，能在緊張的情境中注入幽默感。下面是一些點子：

試著用想像和虛構的故事，或讓沒有生命的東西鮮活起來（「腹語術」這時就可派上用場）。爲了讓你表達得更好，書本、杯子、鞋子、襪子都是可以利用的道具。

例如，孩子如果不把玩具歸位，可以假裝讓玩具發出哭聲說：「好晚了，我好累喔。我想回家了。你能幫我嗎？」

或者，如果孩子不願刷牙，可以讓孩子跟牙刷來場對話。

提示：如果發現某個點子已經不能達到你希望得到的結果，試著換另一種方式。例如，你可以讓孩子比賽看誰刷牙刷得最久。

另一個方法是把事情說得很可笑。

例如，爲了促使孩子願意打掃房間，你可以說：「這房間眞難聞，我猜是有恐龍的骨頭埋在這裡！」

或者：「如果你不馬上清掃房間，政府的清潔大隊馬上就要來設立總部了！」

你也可以留一張詼諧趣的字條給孩子，例如，對青少年你可以這麼寫：「記得在晚上十點前回家，特勤搜索組留。」盡量寫得可笑誇張一點。

做個鬼臉，或用怪腔怪調說話，大聲唱歌，或故意唱走音。你也可以根據你的需要修改流行歌曲的歌詞。例如，你可以把「小星星」的詞改成這

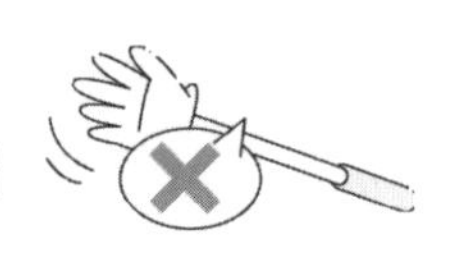

樣：

上學，上學，別遲到，
今天是個大日子，
老師正在等著你，
趕快刷牙梳頭髮……

當情況緊急時，你可以做一些完全不同於平常的決定。把早餐的食物拿來當晚餐，讓孩子穿著制服睡覺，或晚一點上床。爲了避免衝突，不要害怕偶爾打破一些小規矩。孩子最後還是會明白誰才是老大。

提醒：使用幽默感的時候，要對孩子的反應保持敏感。避免用粗暴或諷刺的語言。如果孩子對某樣事情敏感，例如牙套、青春痘或招風耳，就千萬不要在這些事情上作文章。

在教養上應用幽默感，其技巧包括誇大和虛構。目的是要顯得可笑、滑稽、出奇不意。而且幽默不花錢，垂手可得。更重要的是，它教我們不必時時保持完美（因爲綁錯鞋帶有時是一件有趣的事）。幽默讓我們放鬆精神，從壓抑中暫時脫離，並且重燃我們的童心。

【適用二歲以下／二到五歲／六到十二歲／青少年】

8 示範適當行為

孩子經常會表現出大人認爲不適當的行爲；有時候他們需要大人制止他們，並且示範較好的行爲。身爲父母，你是孩子最常模仿的對象。正因如此，「模仿」便是教導孩子最好和最容易的方式。僅僅靠觀察，孩子就能從模仿中學習；換句話說，孩子靠著觀察和模仿父母，就能學習到適當的行爲。

你可以爲孩子示範無數適當的行爲。下面是一些例子：

◎嬰兒

做好的視線接觸。

表現同理的態度。

表達關愛的態度。

◎學齡前

坐姿端正沈穩。

與人分享東西。

不以爭吵的方式解決爭端。

◎學齡期

接電話的態度合宜。

以負責、合乎人性的方式照顧寵物。

合理的花費金錢。

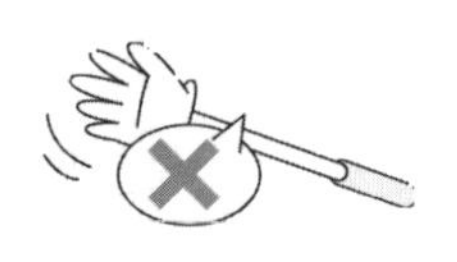

◎青少年

不大吼大叫。

不打斷別人說話。

拒絕毒品和菸酒。

現在對孩子示範適當的行爲，就能避免日後的衝突。而且，知道孩子能夠從自己身上學習到某種行爲——正向的行爲，你也會覺得很驕傲。

【適用二歲以下／二到五歲／六到十二歲／青少年】

9 選擇你的戰場

沒有父母願意把家裡變成戰場，但是，有時候眞的會發生這種狀況。我有一位案主，他是個青少年，他告訴我，他的母親對他的行爲有諸多抱怨。母親抱怨他的餐桌禮儀、睡眠習慣、他的髮型、服裝、臥室、朋友、學業表現，還有他休閒時所做的一切活動。他回應的方式就是「置之不理」。等到我跟這位母親談過之後，我發現她眞正希望兒子做到的是，去找一份打工的工作。可惜，她眞正的訴求被她一大堆的要求給弄混了。對那位青少年來說，母親的種種要求令他麻木，他充耳不聞。母親對他有這麼多要求，讓他非常

憤怒，結果，引起他全盤反抗的心理。

如果你發現孩子有一大籮筐的行爲你希望他能改變，現在開始停止抱怨，並把那些行爲一一記錄下來，然後反問自己，到底哪一種行爲最需要立即處理，並把那些相較之下微不足道的要求拋在腦後。

訂下優先順序，然後採取行動。

【適用二到五歲／六到十二歲／青少年】

10 根據年齡設定適當的限制

從五個月大開始，如果一切發展順利，孩子會開始奮力尋求獨立。他們的目標是要變成一個完整和獨立的個體，能夠自己行事及思考。藉由爲孩子設定符合年齡的要求，你等於是正視他尋求獨立的需求。由於你根據孩子的年齡、能力、特殊需求和負責的程度設定規範，孩子便能夠安全地達到他們的目標。

有些父母犯了一視同仁的錯誤，完全不理會孩子的年齡和個別需要。我曾經輔導過一位十六歲大的女孩，她希望父母能給她一個簡單的鎖頭，讓她

把臥室上鎖——對青少年來說，這是很常見的要求。但女孩的父親說：「不行。」因爲他覺得如果他給女兒一個鎖頭，其他孩子（有的五歲，有的五歲以上）都會提出同樣的要求，而他不希望生活在「監獄」裡。

很可惜，案例裡的父親不明白，五歲大的孩子沒有足夠的責任感管理自己的房間，但一個十六歲大的青少年則有這個能力，而一個便宜的鎖頭，就能滿足她希望得到隱私的需求。

因此，在穩固的基礎上建立你的家庭，但要確保你的規矩具有彈性。這並不表示你要鼓勵孩子打破家規，不過你必須準備隨著孩子的成長和需求，時時訂定新的規則和限制。

一般來說，新的規則能夠提供孩子更多一點的責任和自由——所謂的自由不光是能去更多地方、做更多事情，也包括能獨立做更多決定。在設定限制時，謹慎地探索，你就會摸索到孩子需要獨立的界限在哪裡。用這種方法，只要你不侵犯到孩子需要獨立的空間，他就不必藉著反叛的方式爭取他的自由。

爲了更瞭解孩子在每個年齡階段的需求，你可以參考更多的相關書籍與資料。下面則是我提供的一般原則，有關各年齡層的孩子的一般行爲模式。

二歲以下的兒童

嬰幼兒藉由感官——味覺、觸覺、嗅覺、視覺、聽覺來探索世界。例如，一個十二個月大的嬰孩可能把杯子推到地上，用這樣的方法來瞭解物質恆存的道理（物體即使脫離視線範圍，仍然存在）。嬰幼兒通常發出一些咿咿呀呀的聲音和哭聲來表達他們的情緒。因此，除非製造太大的噪音和混亂，否則這個時期不適合設定太多的規範；嬰幼兒對規範的學習非常緩慢（最好

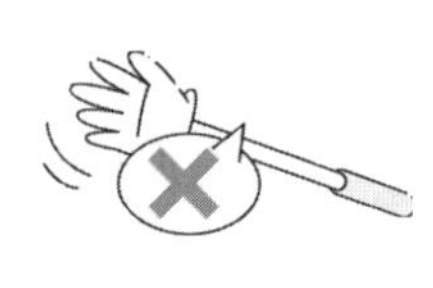

一次一項），大概十五個月大之後才開始具備這種能力。重要的是，嬰幼兒需要以一種一致和可預期的方式來照顧他們，因爲他們需要感受到安全和愛。

二到五歲的兒童

學齡前的兒童是喜好冒險的一群。他們精力無限、充滿好奇、敢於嘗試各種新活動。爲了鼓勵孩子獨立自足，父母應該給學齡前的兒童足夠的探索空間；但也要設定限制，以保護他們的安全。學齡前的兒童常分不清幻想和眞實——惡夢和白日夢一樣實在；想像出來的朋友也一樣眞實。遊戲是他們生活的重心。他們有時候玩角色扮演的遊戲，像「醫生和病人」、「母親和孩子」，藉由這種方式，孩子表達出他們的願望及害怕。透過遊戲，他們也建立起社交技巧和互惠的能力。學齡前兒童也會出現正常的攻擊性行爲（例如，爭奪玩具），所以，父母要教導他們如何以非暴力的方式解決衝突。兒童在學齡前學習如何在遊戲中與人相處，然後才學習如何在現實生活中與人相處。

六到十二歲的兒童

學齡期的孩子是賣力工作的一群。不管是在課堂上或下了課，他們努力發展他們的技能。也不管是騎自行車、做算數、「蓋堡壘」，他們都需要從中獲取勝任感。和學齡前的兒童相比，學齡期的兒童更負責，對父母的依賴較少，更可以自己做決定。父母可以藉由鼓勵他們的學業和給予支持，達到協助他們的效果。父母也可以提供機會，讓孩子能順利參加各種活動或團體，像童軍團、四健會、少棒隊，或學習電腦。父母的期望必須合理，例如，可以期望孩子做出他最好的表現，而不是成為最頂尖的人物。學齡期的孩子透

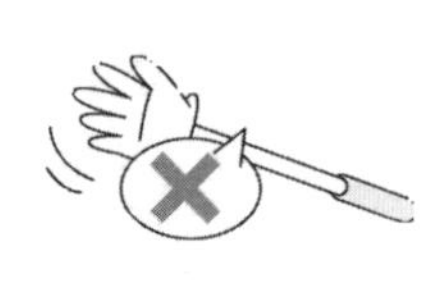

過各種學習成就，發展出健全的自尊感。從這之中，他們得到爲未來目標奮鬥的力量和自信。

十三到十九歲的青少年

青少年有他們艱難的任務要完成，就是發展自我認同。他們必須思考「我是誰」、「我要往何處去」、「我要如何達到我的人生目標」這些問題。爲了做到這一點，他們需要很多支援，包括父母和朋友的支持。朋友提供支持性的團體，青少年可以從中學習社會技巧、分擔問題、驗證自己的想法，並加強自我認同。父母提供青少年明確的溝通技巧（特別是傾聽的技巧）、關懷，以及有力的家庭價值。例如，父母應該對偷竊、說謊、喝酒、吸毒表達不贊成的態度。青少年需要大量的自由空間，以便探索成人的世界，但他們同時也需要管束。在作業和門禁時間上，父母應該設定合理的限制。青少年就跟其他年齡層的孩子一樣，需要關愛，也需要約束（雖然不是很多），藉由這樣，才能幫助他們成長爲自信、負責和獨立自主的個體。

第二部

十種改進溝通的技巧

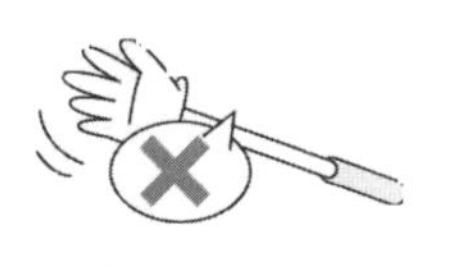

11 給予清楚明確的指示

父母通常給孩子下達這樣的指示：「要乖」、「要守規矩」、「不要惹麻煩」，或者是「不要惹我生氣」。不幸的是，像這樣抽象模糊的指示常令孩子感到困惑。指示要清楚明白，下面是一些範例：

◎對嬰幼兒：

「不行！」

「不能咬！」

◎對學齡前兒童：

「不能在屋裡奔跑！」

「把麥片粥吃掉。」

◎對學齡期的兒童：

「現在就進屋。」

「坐在椅子上，不要動來動去。」

◎對青少年：

「把音響的聲量關小一點。」

「在家裡不准說髒話。」

句子盡量短而簡潔——如果有孩子不瞭解的字眼，要對他解釋。如果孩子已經能說完整的句子（大概三歲開始就具備這種能力），你可以要求他重複

一遍你的指示。這樣，孩子更能瞭解你的意思，也更能記得住。

提醒：如果孩子好像無法或不願意照你的指示做，稍等一下，大概一分鐘後，再使用別的技巧：對二歲以下的孩子可以使用「分心法」，二到十二歲的孩子可使用「面壁思過法」（方法三十四），對青少年則使用「剝奪權利法」（方法三十七）。

不管是哪個年齡層的孩子，他們都想取悅大人。藉由給孩子指示的方式，你可以協助孩子避免不適當的行爲，並讓孩子能贏得你的讚賞。

【適用二歲以下／二到五歲／六到十二歲／青少年】

12 有效地使用肢體語言

父母的肢體語言是對孩子傳遞訊息的重要方式。如果你希望強調某件事，或者下達某個命令，要先確定你的肢體語言和你的口語表達內容一致。有時候，父母以一種輕鬆的態度下達命令，例如，一面坐在沙發上看電視或讀報，一面下指令，指令的內容可能是：「不要在屋裡丟球！」或：「不准打你妹妹！」這些口語的內容很強烈，但肢體動作卻顯得很微弱、漫不經心。只要你的話語和肢體動作不一致，你所傳遞的就是一種混淆的訊息。混淆的訊息令人迷惑、無所適從，也就是說，孩子不太可能因此停止不適切的

行爲。

那麼，要如何利用你的肢體動作傳遞強烈的訊息？

首先，要直接對著孩子說話，說話時要看著孩子的眼睛，要站直，雙手扠腰或伸出手指頭指著前方，也可以彈指或拍掌的方式喚起孩子的注意力；也就是要盡量保持肢體動作和口語內容的一致性，這樣孩子才能清楚確實地接收到你的指令。

【適用二歲以下／二到五歲／六到十二歲／青少年】

13 說「不行！」時態度要認真

你是怎麼跟孩子說「不行」的？

孩子通常會針對父母說話的口氣作出回應。所以說「不行」的時候，口氣應該堅定明確，最好聲量比平常提高一點，但不必大叫（除非情況緊急）。

你怎麼使用「不行」這個字眼？父母通常會給孩子模糊混淆的訊息：有時候「不行」代表「也許」，或是代表「等一會兒再問我」。

有個母親有個正值青少年階段的女兒，她有一次對我說，有時候她被女兒吵煩了，本來「不行」就變成「可以」。如果你覺得孩子就是想吵到逼你就

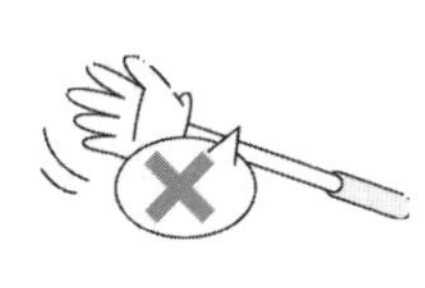

範，或操縱你改變心意，只要停止回應他就好了。保持沈默，讓孩子逕自在那兒嘮叨，發洩他的挫折感。只要你說了「不行」，也告訴孩子你拒絕的理由，就不必再回答任何問題。（我建議你提的理由要簡短明瞭，能讓孩子明白。）

你不必對孩子防衛你的立場——你不是被告，你是法官。這一點非常重要，所以，我希望你花一點時間想像一下法庭上法官所扮演的角色。現在，再想像你要如何對孩子說「不行」。身為具有法官權力的父母，在你陳述最後決定時，要保持冷靜和理性的態度。你的每一句話字字都要鏗鏘有力。千萬不要忘了，父母是家裡的法官，你的話代表你的權威。

下次，當你覺得孩子試圖把你逼上被告的位置時，可以這麼回應：「我已經告訴你我的答案，我說：不行。」說完後，就不要再理會孩子；或一遍一遍以冷靜、明確的態度，簡潔地重複之前的話，直到孩子接受為止。

提醒：如果孩子拒絕按照你的指示做，試著用「面壁思過法」（方法三十四），如果當時不適合使用「面壁思過法」（例如，你正坐在醫師的診間看病），晚上就要孩子提早半小時上床睡覺。

【適用二歲以下／二到五歲／六到十二歲／青少年】

14 以冷靜的態度和孩子說話

這個方法讓我想到一句老話：「用糖比用醋更能從蜜蜂身上誘得蜜汁。」孩子有時候比蜜蜂更棘手，所以父母必須懂得如何利用一點「糖」，來阻止孩子不適切的行爲。我建議父母要以冷靜、非威脅性的口吻和孩子說話。這表示如果你對孩子的某種行爲極端憤怒，就必須先花些時間讓自己冷靜下來（參見「方法四十二，學習放鬆」）。

一般而言，雖然最好是即刻回應不適切的行爲，但在我們現在所討論的這個狀況下，我建議你要採取不同的做法。你要等到身體能夠放鬆、不擺出威脅的態度、能和你的口語表達一致時才作出回應。說話的速度要緩慢，小心你的用字遣詞。如果你的話中有任何對孩子攻擊性的字眼，都會讓孩子表現出受傷、憤怒、防衛，甚至反抗的回應。換句話說，如果你以冷靜、不帶威脅的方式說話，孩子受到鼓勵，會更信賴你，傾聽你的話，採取合作的態度。

因此，在你跟孩子討論他的行爲時，什麼是不具威脅性的方式？

首先，同時也可能是最重要的一點，就是採取己所不欲勿施於人的態度，以你希望別人對待你的口吻和孩子說話。不要大叫（大叫總會令孩子產生威脅感）。避免口語上的貶低或責罵，並採用「我語句」，在每句話的開頭用「我」，不要用「你」。例如，不要說「你的房間像個豬窩」，或「妳是個壞女孩，竟然打弟弟」；改成以「我」開頭的句子：「我眞的很不高興，早上看到你房間那麼亂。我認爲我們大家都應該保持房間整潔。我希望你一週

挪出一天來打掃房間。」或者：「我擔心妳會打傷妳弟弟。請不要再打他了。」

注意，在使用「我語句」時，是在告訴孩子，他的行爲帶給你什麼感覺。像上述的例子，父母是在向孩子表達對他行爲的不滿。

在管教過程中，口語表達是最重要的部分。使用能表現出體貼、坦誠和尊重的語句，就比較有可能爭取到孩子合作的意願，而且讓你和孩子溝通的大門保持敞開。

【適用二歲以下／二到五歲／六到十二歲／青少年】

15 做個好的傾聽者

若孩子年齡夠大，能夠對自己不適當的行爲做某種程度的表達，如果可以的話，父母就應盡可能不要說，而是仔細地傾聽孩子想對你說些什麼，試著瞭解孩子心裡的感受。有時候，要做到這一點很困難；這表示你要把事情先放在一邊，把所有的注意力都放在孩子身上。首先，保持跟孩子同樣的高度，和他坐在一起；保持好的視線接觸；在孩子說話的時候不要打斷他；讓孩子自由表達他的感受。感受沒有對錯，只有行爲才有適當不適當的問題，而孩子是藉由行爲來反映他的感受。例如，孩子可以有氣朋友這樣的情緒，

但對朋友吐口水就不恰當了。

爲了做個好的傾聽者，你必須具備各種技巧。以下是父母要練習傾聽時的基本技巧：

◎正視、關切的態度。

◎如果可能，視線和孩子保持相同的高度，並且保持接觸。

◎表現出你正在傾聽的態度，例如，可以以一些口語反應，像「嗯」、「我明白了」、「噢」、「請繼續」等等，表示你正在傾聽。

◎藉由傳達出關懷和瞭解的態度，接納孩子的情緒。例如：

孩子（生氣）：今天學校有個男孩子拿走我的籃球！

父母（接納孩子的情緒）：那你一定很生氣！

◎使用反映式語句，重複孩子說的話。例如：

孩子：我不喜歡我的老師，因爲她當著全班同學的面讓我下不了台。

父母（反映孩子說的話）：你覺得老師有時候讓你下不了台。

藉由重複孩子的話，孩子會覺得你在傾聽，你瞭解並關心他的狀況。反映式語句配合其他技巧一起使用，可以讓你們的溝通保持暢通，孩子會覺得能放心地表達更多的想法和感受。

在傾聽孩子說話時，試著思考：他的不適切行爲是不是某個更嚴重的問題的徵兆？

孩子有許多行爲，像在學校打架、使用毒品或傷害小動物，其實只是某個更嚴重問題的表現行爲。那些不斷惹麻煩、有不適切行爲的孩子，內心其實很痛苦，正需要別人的關注。在這種狀況下，我建議父母要尋求專家的意見。

你愈能傾聽孩子的心聲，就愈能蒐集到更多訊息。藉由這種方法，你能瞭解孩子行爲背後的眞相，也才能有效地處理它。

【適用二歲以下／二到五歲／六到十二歲／青少年】

16 試著解決問題

有時候孩子不適當的行為導源於一個無效的情境；也就是這個情境中有必須解決的問題存在。因爲父母年紀比較大，經驗比較多，所以父母通常能在這方面提供協助。以下是一個簡單的三段式步驟，能夠用於解決行爲問題。

注意：在你開始之前，必須先確定你處在冷靜和思慮清楚的狀況下。不要在和孩子爭吵的情況下嘗試解決問題。

步驟一：界定問題

用清楚簡單的詞句來界定那個問題。注意的焦點一次放在一個問題上，例如：

七歲的凱蒂有時會忘了做她該負責的家務。

步驟二：腦力激盪

盡量思考各種能解決這個問題的方法。如果孩子年齡夠大，可以讓他參與，我建議你們坐在一起進行腦力激盪。把點子記下來會更有幫助。考慮每種方法的優缺點。

步驟三：選擇解決辦法

在選擇解決辦法上，盡可能讓孩子有較多的主導權。藉由這種方法，比較能夠爭取到他合作的意願。在上述例子中，父母和孩子同意按照下面的辦法來做：

凱蒂要列下每一週「要做的事」。這張清單包括每週她負責的家務，以及其他必須記住的重要工作。她要把這張清單貼在廁所、廚房的冰箱上，以及學校的課桌上。

通常，只是責罵或處罰孩子的不當行爲是不夠的，父母也許還要問：「到底問題出在哪裡？」「我要怎樣做才能夠幫助孩子？」

【適用二歲以下／二到五歲／六到十二歲／青少年】

17 知道如何使用威脅的方式

有時候父母爲了避免處罰孩子，便採用事先警告或威脅的方式。沒錯，你可以藉由威脅的方式控制孩子的行爲，但是，只有偶爾使用，威脅才會有效，而不是把它當成管教的常法。

在使用威脅的方法時，必須明確地告訴孩子，如果他不照做，會有什麼後果。後果不能含糊籠統，那樣孩子不會明白，也不會接受。例如，你可以告訴孩子，如果他今天放學後不直接回家，星期六就不能到運動公園玩。

在使用「威脅法」時，設定的後果要合理公平，而且能夠確實執行。我

曾在一個機構看到一位父親威脅他的兒子。除了製造不必要的恫嚇效果，那個父親威脅的內容非常空洞，他自己也無意去執行它。

孩子終究會學會分辨父母的威脅到底可不可行，到那個時候，父母便要以加倍的心力才能控制孩子的行為。所以，一開始就要做得高明一點。要讓你的威脅清楚合理，而且隨時準備付諸實行。

【適用二到五歲／六到十二歲／青少年】

18 訂定行為契約

你是否注意到，當你把一件事寫下來時，你比較能夠記住它們？就因爲這樣，所以要訂行爲契約。當你把規則書寫下來時，孩子比較記得住。心理健康專家、父母和老師都常使用訂定行爲契約的方式，因爲它們有效，而且易於使用。

以下便是訂定一個簡單的行爲契約該注意的步驟。

步驟一：清楚地記下你希望孩子做到什麼。（最好一個行爲契約只處理一種行爲。）例如：

約翰晚上八點半必須上床睡覺。

步驟二：記下如何確定孩子有遵照規定。問自己：「誰要負責做檢查的工作？要多久檢查一次？」例如：

父親或母親會準時八點半到約翰房間，查看約翰有沒有換好睡衣，關上電燈，躺在床上。

步驟三：記下孩子不遵照契約時要承受的後果。

如果約翰沒有在晚上八點半，換好睡衣，關上電燈，躺在床上，隔天他就不能到外面玩。（如果是平常上學的日子，下課後約翰必須直接回家）。

步驟四：記下孩子如果遵照契約，會得到什麼樣的獎勵（在本書第四部分將討論有關獎勵的議題）。雖然未必要在行爲契約上訂定獎勵的辦法，但我建議父母最好這樣做。

如果約翰遵照約定，每一週他可以約一位朋友到家裡來玩。

要選擇孩子在乎的獎勵，這樣他才更有動機表現出父母期望的行爲。

接下來就是決定契約生效的日期。當天生效？下一週生效？在契約的最上面記下生效日期。然後和孩子把契約內容重頭討論一遍，確定他完全瞭解，然後你們雙方要在契約上簽名。

有兩件事要記住：第一，要跟家裡其他的照顧者討論訂契約的事（丈夫、妻子、祖父母），這樣他們才會瞭解規定，幫忙一起遵守。第二，如果你更改契約內容，一定要知會孩子，而且雙方都要在修改過的契約上重新簽名。

在處理問題行爲時，訂定行爲契約很有用，因爲它讓你能爲自己和孩子思考和擬定一個策略。就像爲了避免地震災害所做的準備工作一樣，行爲契約能讓你事先知道，當不好的事情發生時，你要怎麼做。

【適用六到十二歲／青少年】

19 舉行家庭會議

每週一次一小時的家庭會議，能夠讓你的家庭在穩定的狀況下運作。家庭會議的目的在瞭解每位成員的現況，找出誰狀況不佳，誰需要協助。這是你們家庭的「品管時間」，家庭成員能在這個時候表達各自關切和擔憂的事情，發現問題，討論可行的解決之道。要鼓勵每個孩子和成人談一談他們各自的生活、一般的狀況，以及不順心的地方（如果有的話）。

家庭會議的舉行有幾個基本原則，以下是我的建議：

◎成人負責主持會議，以及執行規定。
◎除非有特殊狀況，否則每位家庭成員都要出席。
◎不管是否有人反對或贊同，每位家庭成員都可以表達意見。
◎不能在會議中大喊大叫。
◎在其他人說話時不能打岔。
◎不能貶低或罵人。
◎不要分心（電視和收音機要關掉）。
◎在家庭會議中提出來討論的問題，每位家庭成員都能提供解決的辦法（盡量選擇大家都贊同的辦法）。
◎由家中的成人做最後決定。

要盡量固定召開家庭會議，並且挑一個大家都方便的時間（不要讓孩子

錯過他們星期六的晨間卡通）。同時，可以考慮在會議中做筆記：寫下重要的訊息，以及任何家庭成員達成的協定（例如：黛比要負責洗星期六和星期日晚上的碗盤）。

盡量讓家庭成員參加家庭會議時，都能得到一個輕鬆和正向的經驗。花些時間討論即將發生的事件或計畫，例如度假。讚美每位成員這一週良好的表現。如果進行的很順利，你的家庭和你自己都會在每次會議後感到更有力量、更健全。你們會覺得彼此像一個團隊，共同解決一個問題，即使有意見相左的時候，你們也會知道大家是在一起的，都在爲共同建立更美好的未來而努力。

【適用二到五歲／六到十二歲／青少年】

20 尋求家族治療

在前一個方法裡，我建議你舉行家庭會議，解決問題，並鼓勵孩子表現適切的行爲。但是，如果你發現在嘗試過幾次之後，家庭成員們還是無法平靜地坐下來一起討論，分享彼此的感受，也無法解決問題，那麼我要鄭重建議你去尋求家族治療的幫助。

家族治療師（也稱爲婚姻和家庭治療師，或婚姻、家庭、親職諮商師）的工作在改善家庭成員間的關係。他們使用各種方法幫助家庭中每位成員朝著健康的方向發展。他們幫助家庭克服許多困難，包括離婚帶來的衝擊、親

子之間的衝突，以及孩子的行爲問題。家族治療師可以降低家庭中的緊張度，增加自覺和瞭解。他們可以提升家中每位成員的自尊感，強化家庭中的劣勢和脆弱點。

根據我在這方面所受的教育，我可以這麼說，許多嚴重的家庭問題如果沒有專業者的協助，是很難解決的。（我對嚴重問題的定義是：凡持續六個月以上，不管使用什麼方法都無法排除的問題。）似乎每個家庭都有不同形式的嚴重問題，一代接一代。多數家庭在尋求幫助前，都經歷過多年的痛苦和挫折——如果他們最終能夠尋求到幫助的話。

領有證照的家族治療師依照法律，必須與家中每位成員維持可信賴的專業關係。這表示治療師不能將你家庭的任何資料透露給治療情境以外的其他人知道（但有些狀況例外）。家族治療師的風格可能各異其趣，所以我建議你，多找幾個，再做最後決定。

所幸，要找到他們並不困難。你可以在電話簿上有關「婚姻和家庭治療」、「心理師或心理健康服務」等項目欄裡找到這些資料。

【適用二到五歲／六到十二歲／青少年】

第三部

四種爲孩子塑造環境的技巧

21 簡化孩子的環境

要塑造能鼓勵孩子出現適切行爲的環境，方法很多。例如，把屋子裡可能讓孩子製造麻煩的物件移除；家裡有年幼的孩子，父母可以考慮買摔不破的碗盤；不要讓孩子碰觸到昂貴的物品；爲孩子買容易穿脫的衣物（例如，買釦子大的衣服）。你可以準備矮櫃和矮架子，讓孩子能夠自己把他重要的東西收起來。

年紀大一點的孩子需要一個安靜、舒適的地方讀書。盡可能提供孩子照明度良好的書桌，以及可以擺放書本、作業和各種用品的地方。

處於學齡期的孩子，當他們不看書的時候，會想找些有趣的事情做。你可以幫孩子建立一個儲藏室或可以活動的小閣樓，把孩子的電子遊樂器、拼圖、棋盤都放在裡面，也騰出一個空間放運動器材，包括足球、棒球和籃球。要確定孩子拿得到放在儲藏室裡的每一樣東西。

你可以把孩子的衣櫥隔成幾區，分別放置校服、便服、運動服和正式的禮服。如果孩子已經是青少年，能夠自己洗衣物，可以在他們的儲藏室或浴室，提供他們專用的洗衣籃。可以在洗衣籃上註明「白色衣物」和「彩色衣物」，幫助孩子將髒衣服分類。

試著從孩子的視野來看你的房子，反問自己可以做什麼讓孩子生活得更自在。如果你可以讓孩子生活得更自在、輕鬆，你的生活也會變得更自在、輕鬆。

【適用二歲以下／二到五歲／六到十二歲／青少年】

22 豐富孩子的環境

你給孩子愈多表現良好行爲的機會，他就愈不會出現不當的行爲。試著提供孩子各種有趣、安全的遊戲，挑選適合他年齡的玩具，而且玩具的設計要能增加孩子的創造力和自信心。兒童早期是建立閱讀興趣的最佳時期，所以不要等到孩子上學之後再讓他看書。爲孩子建立專屬於他的私人圖書館，從書局蒐集，均衡地提供包括小說和非小說類的書籍；並逐漸擴充他的圖書館，因爲這些會是他珍藏一輩子的寶貝。

如果可以，爲孩子提供一個特定的區域或遊戲間。不管是在室內、室外，或在車庫，只要能讓孩子在那裡盡情探索，盡情發揮他的創造力。例如，一個可以讓孩子自由進行他喜歡的藝術創作的地方，像可以捏陶、畫畫。年紀較大的孩子也會想要一個專屬的工作室——他可以在那裡發展個人的興趣和嗜好，像木刻、打鼓或化妝。在自己的專屬空間裡，孩子會感到無拘無束，而父母則會因爲孩子行爲良好感到高興。

【適用二歲以下／二到五歲／六到十二歲／青少年】

23 限制孩子的環境

阻止孩子出現不當行爲的另一個方法是，限制孩子的環境。當你們出遠門時，避免帶孩子到一個不能輕易滿足他在食物、休息、如廁或探險需求的地方。避免去出菜很慢的餐廳，也避免去食物口味是孩子不熟悉的餐廳。避免帶孩子去看色情或暴力電影，那可能會讓他感到害怕或困惑。

在自己的家裡，你也許必須在某些時間限制孩子活動的範圍。例如，避免在孩子做作業的時間，受到電視、音響、電動遊戲的干擾；太多的干擾會讓孩子出現不當的行爲。對某些父母而言，孩子的上床時間常是一場惡夢。

如果你的孩子也有不願意就寢的問題，盡量把一些玩具和遊戲器材移除，不要在上床時間讓孩子接觸到這些刺激。同時，在孩子上床前一個小時，不要讓他看電視。

你的孩子一天看幾個小時的電視？除了睡覺，和其他活動相比，美國兒童最常做的事情就是看電視。兒童到青少年階段，他們總共花在看電視的時間約爲一萬五千小時（Mussen,Conger,Kagan, *“Child Development and Personality,”* p.408）。值得高興的一點是，某些教育性的節目，像芝麻街，能夠教孩子表現適切的行爲，例如怎樣包容、與人合作和遵守校規。

不幸的是，多數電視節目帶有暴力色彩，對孩子身心發展不利。研究顯示，孩子看愈多暴力影片，愈易出現暴力行爲和態度（McConnell, *“Understanding Human Behavior,”* p.90）。孩子透過電視，學習到各種不適當的行爲，像如何做個不友善的人；例如，以打架的方式得到自己所要的東

西。他們還學到如何不跟別人合作，不與人分享，以及不要自制。

為了約束孩子接觸暴力影片，我建議你要限制孩子看電視的時間。例如，一天只能看一個小時，或者只能在飯前或星期六看電視。

藉由限制孩子在屋內或屋外的環境，你可以事先防止問題情境發生；同時，也可以創造一個鼓勵孩子出現適切行為的環境。

【適用二歲以下／二到五歲／六到十二歲／青少年】

24 保持家庭的整齊

想像你要接待一個來自異國的訪客。你不知道他打算在你家待多久，但你希望他盡可能有賓至如歸的感覺。惟一的問題是，你們之間有語言溝通的障礙。

這個故事聽起來很熟悉嗎？沒錯，從某方面來說，孩子就像個異國訪客。他們具有高度的好奇心，不請自來，而且事事得依賴別人；他們必須試著與奇怪的成人世界爲伍。你要怎麼幫助像訪客一樣的孩子適應你的家庭？

以下是一些能刺激你想像力的點子。

保持房子的乾淨清潔

我並不建議你每天花八個小時刷地板，但試著維持固定的清潔工作（希望家務不是由你一個人承擔）。你需要花多少時間在房屋的清潔和整理上，全視房子坪數的大小而定，但目標還是一樣——不要堆積垃圾和灰塵。很多人（包括我在內），都相信一句話：「物有所歸。」不要養成亂放東西的習慣——因為會造成意外、遺失和損失。要物歸原處！孩子很快就會學到要到哪裡去找他們需要的東西（這樣一來，他們對你的依賴也就相對減少了）。記住，當你的屋子整齊又清潔，每樣東西都有固定擺放的地方，對你和孩子來說，住起來會更安全輕鬆。

建立規律性的行為

我們每天的生活由簡單的習慣形成，這些就是規律性的行爲，例如吃飯、睡覺，這些對每個人來說都是很平常的事。孩子的規律性行爲是什麼？就像很多父母一樣，你可能早已建立孩子用餐或上床的規定：「晚上八點半上床睡覺」。例如，黛安娜王妃要求她兩個兒子威廉和哈利，每天晚上六點要寫感謝卡給家族成員或朋友（參考Morton的著作：《黛安娜王妃的眞實故事》）。

另一個父母要建立的重要習慣是，做家庭作業的時間。例如，你可以這樣要求：「晚餐後必須立刻去做家庭作業」，或「必須在出去玩前做好家庭作業」。跟前述原則一樣，在執行所有家規時要前後一致，並且切實執行（參考

「方法二十八，保持一致性」）。

藉著建立規律性的行爲，就能對孩子設下合理的限制。你的家庭因爲這樣變得井然有序，更重要的是，這會增加孩子的安全感。孩子因爲知道你的期待在哪裡，所以感到放心、有安全感。

【適用二歲以下／二到五歲／六到十二歲／青少年】

第四部

十六種讓孩子由結果學到教訓的技巧

【一般原則】

25 設定清楚的限制

家庭是第一個教導孩子世界是如何運作的場所。家庭是社會的縮小模型，一個迷你的社會。藉由在家庭中設定對孩子的限制，你讓他學習到規則、法律和限制無所不在的道理。如果孩子在幼年時就學會尊重規則，日後他就能免除許多困擾。

你所訂定的規則應該盡可能清楚簡明，這樣孩子才能瞭解，並牢記在心。孩子必須知道界線在哪裡，而且正如現實社會一樣，他必須知道不遵守的後果是什麼。我們對後果或懲罰的定義是：任何不鼓勵孩子出現不適當行爲的方法。負向的後果可以包括忽略（方法一）、明確禁止（方法十三）和剝奪某項權利（方法三十七）。

換句話說，只要他遵守規則，給予正向的回饋非常重要。正向的回饋意指任何能鼓勵孩子出現適當行爲的方法，例如，讚美、關懷、物質的獎勵，以及陪伴。

藉由設定清楚的限制，你教導孩子同時去覺察自己良好和不好的行爲。

【適用二歲以下／二到五歲／六到十二歲／青少年】

26 給予立即回饋

人類的行爲難以預測，也難以掌握，面對孩子更是如此；但還是有某些可遵從的原則。例如，我們知道在行爲之後立刻得到回饋，效果最好。「獎勵」這種正向回饋，在適當行爲之後立刻給予最有效（參考方法二十九）。立刻給孩子一句讚美，說：「你的作業做得很好。」或：「我以你說實話爲榮。」能鼓勵孩子日後再出現同樣的適當行爲。

同樣的道理，在孩子出現不適當行爲時，應該馬上給予負向回饋，像「面壁思過」（方法三十四）。不要找藉口迴避處理孩子的不當行爲。只要你的懲罰合理、公平，並且立即回應，你就已善盡親職了。

藉著對孩子的行爲給予立即回饋，你鼓勵了適當行爲，而且抑制了不當行爲在日後出現的機率。

【適用二歲以下／二到五歲／六到十二歲／青少年】

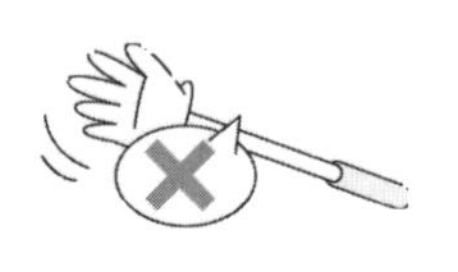

27 說到做到

你選擇用什麼方法管教孩子，就必須貫徹始終。不管你是否在孩子出現適當行為時給予正向回饋，或出現不適當行為時給予懲罰，都要說到做到。

如果孩子的年齡不到二歲，你可以一貫地採取「忽略」的技巧（方法一）來處理孩子的不適當行為，例如亂發脾氣。不過，要先把可能對孩子造成危害的東西，像清潔用品和尖銳的物品移除。

有時候，貫徹始終是對父母忍耐力的一種考驗。我曾協助一位母親，她有個十歲大的兒子，在家裡給她惹了很多問題。譬如，她對我說，她兒子最近把一盤義大利麵往牆上砸去。我問她，接下來她怎麼做。她說，她立刻叫兒子回他自己的房間，並且要他等會兒出來後到廚房收拾。結果兒子在自己房間待一整晚。後來母親失去耐心，就自己收拾了。

從這個事件中，那個男孩子學到兩件事：第一，他有本事操縱母親；第二，他能夠逃避懲罰。不要給孩子任何迴避懲罰的機會。在現實世界，很少有這種機會。只要父母說到做到，孩子就會學到重視你所說的話，日後也會對父母懷有更大的敬意。

【適用二歲以下／二到五歲／六到十二歲／青少年】

28 保持一致性

父母不能保持一致性，就無法管教孩子。孩子從父母對他們正向和負向的回饋中，學習到分辨自己的行爲適切與不適切。每次孩子出現適切行爲時，就用某種方式獎勵他；同樣地，每次孩子出現不適切的行爲時，就以某種方式抑制他。

在你能維持一致性的回應前，孩子可能會繼續用各種方式來試探你的底線。爲了控制孩子的行爲，你必須時時覺察到什麼是好的，什麼是不好的行爲，並且持續鼓勵好的行爲，抑制不好的行爲。兩者同樣重要。

【適用二歲以下／二到五歲／六到十二歲／青少年】

【正向回饋】

29 立即給予獎勵

對孩子的努力給予獎勵，他比較會表現出適當的行爲。而且最有效的獎勵是在行爲後立即回饋——在你看到或聽到的當下。因此，你必須預先準備許多能立即獎勵的東西。

受歡迎的獎勵有糖果、擁抱、讚美、點心、玩具和金錢。我建議你要經常變化獎勵的內容。如果每次都以食物作爲獎勵品，對孩子來說，食物可能變得很重要，導致日後他有飲食方面的問題。父母對物質性的獎勵應該保持

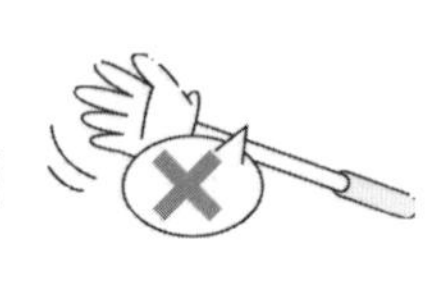

謹愼的態度，物質獎勵的頻率愈高，效果愈差，而且會變成需要更貴重的東西才能達到獎勵的效果。

讚美是你可以給予孩子最好的獎勵。要讓孩子表現出適當的行爲，讚美非常重要，所以，不管你用什麼方式獎勵，讚美都不可少。要清楚地告訴孩子，他爲什麼獲得獎勵。

例如，你可以說：「我很高興你今天放學回來就把課本收好。」注意到沒有，你很明確地告訴孩子什麼是適當的行爲。我建議父母避免用「你是個好孩子」這類的讚美。孩子無所謂好壞，只有他們的行爲才有好壞之分。

正如我在〈本書簡介〉中所提到的，好的管教方法符合兩個原則：它能去除不適當的行爲，而且能鼓勵適當的行爲。而孩子適當的行爲由獎勵引發。所以，在孩子出現適當行爲時獎勵他——盡可能立即獎勵——這樣，它們出現的次數就會愈來愈多。

第四部　十六種讓孩子由結果學到教訓的技巧

【適用二歲以下／二到五歲／六到十二歲／青少年】

30花時間陪孩子玩

鼓勵適當行爲最好的方法之一是在遊戲中達到以下目的：從事只有你和孩子的一對一遊戲。

玩什麼呢？可玩的遊戲數說不盡。例如，可以跟年幼的孩子玩躲貓貓、化妝和教唱歌等遊戲。如果是年長的孩子，可以帶他去野餐、騎馬、參觀附近的寵物店、堆雪人、下棋或逛街。

親子遊戲之所以重要，理由很多。首先，它提供一個你能以正向態度全心注意孩子的時間。特別是對年紀很小的孩子，他們需要父母給予大量、正向的關注。許多時候，孩子只是爲了得到父母的注意才出現不適當的行爲（並承受痛苦的後果）。

和孩子一起遊戲同時能鼓勵孩子從事健康的活動。例如，如果你希望孩子多到戶外運動，就可以建議孩子玩接球或打籃球。

最重要的是，親子遊戲是協助孩子建立自尊的方法——而建全的自尊關係到孩子未來的幸福、學業的成就，和事業的成功。

所以，固定抽出時間陪孩子玩耍，並注意以下幾點：

◎你們一起做的活動要符合孩子的年齡和身材。

◎挑選能發揮孩子才能、技巧和特長的活動。

◎避免在遊戲時批評孩子的行爲；因爲這是一段屬於要給予大量讚美和鼓勵的時間。

藉著「陪孩子玩」這個行為，父母其實是在傳達「我愛你，你對我很重要」這樣的訊息。這是另一個協助孩子從內心產生正向感受的方法。如此，他未來就會有好的表現。

【適用二歲以下／二到五歲／六到十二歲／青少年】

31 承諾未來將給予獎勵

另一個鼓勵適當行爲的方法是承諾未來將給予獎勵（立即給予獎勵最有效，但承諾未來給予獎勵也同樣具有效果）。獎勵則是可大可小。

我知道有對父母承諾要給他們正處於青春期的女兒一大筆金錢，只要她答應在二十一歲之前絕對不碰毒品和酒。雖然多數父母願意提供一大筆錢做爲獎勵，但即使金錢數目不多，還是能增強孩子的良好行爲。例如，每個週末給孩子一筆零用錢，就是獎勵他一週幫忙分擔家務很好的方法。

除了錢，你還可以利用許多孩子重視的東西做爲未來的獎勵品。也許可

以承諾下午單獨陪他玩他喜歡玩的遊戲，或你們一起到某處旅行——海邊、公園或看場電影。有時候，某些人，像祖父或祖母，他們可能對孩子具有特別的意義，所以帶孩子去看望他們，也是鼓勵孩子表現適當行為的一種獎賞。其他的獎勵方法包括買一個新玩具、書、一份特別的點心，或給予孩子額外看電視或遊戲的時間。

試著利用現有的資源協助你塑造孩子的正向行爲。與其在孩子吵鬧時任意給予孩子東西，不如藉此訓練孩子負責和自制的行爲。讓孩子學習如何從適當行爲中贏得獎勵。藉由獎勵孩子的良好行爲，增強孩子願意循規蹈矩的動機。

【適用二到五歲／六到十二歲／青少年】

32 利用代幣制度

利用代幣的獎勵制度來幫助孩子學習自制，是一種有趣又容易實施的方法。漂亮的表格和可能贏得的獎勵，都會吸引孩子的注意。而父母則會看到孩子的行爲一天比一天改善。在使用這種制度時要注意一點，絕不要用它來增強「不」的訊息（例如，不能打弟妹），而是要用來增強適當的行爲（例如，和弟妹一同安靜地玩耍）。

以下是執行代幣制度的四個步驟。

步驟一，製作行為表

找出二、三個孩子最讓你感到困擾的行爲。（你也許能列出許多條，但我建議你不要超過三條，這樣孩子才不會感到需要過度改變的壓力。）例如，你希望孩子能打掃自己的房間，或者不要再捉弄弟妹。或者孩子常遲交作業，你希望他能按時完成。不管你挑選了哪幾種行爲，在一張白報紙上把它們從上到下一一列出（你也可以到文具店買一張彩色的壁報紙）。先畫出縱橫相交的格子，然後在最上面的橫排寫上星期（參考表A）。

表A　代幣獎勵表

加總	星期日	星期六	星期五	星期四	星期三	星期二	星期一	適當的行為
								打掃房間
								和弟妹安靜地玩耍
								及時完成家庭作業
代幣總數（一週）＝								

步驟二，選擇代幣

輕、小、不易破損的東西適合用來當代幣，像紙牌和假錢就很好用。如果孩子表現出值得獎勵的行爲（打掃房間、和弟妹安靜地玩耍、按時完成家庭作業等等），你可以在每天晚上發給孩子代幣。

步驟三，決定每個適當的行為可以兌換多少代幣

例如，孩子每天和弟妹安靜地玩耍，就可以得到一枚代幣；打掃房間，一枚代幣；按時完成家庭作業，兩枚代幣。

步驟四，選擇獎勵品

坐下來和孩子一起討論，決定一個公平的獎勵品。例如，五十枚代幣可以去迪斯奈樂園玩一趟（如果你家住在離樂園不遠的地方）。其他可行的獎勵包括爲孩子準備一頓特殊的晚餐、新的電腦遊戲或玩具、一件衣服，或和朋友舉辦一場冰淇淋派對。

完成這四個步驟後，就可以開始使用代幣獎勵制度。和孩子討論，定下一個開始的日期（例如：星期一早上八點開始）。每一天，觀察孩子有沒有出現表單上的行爲。到了晚上，把孩子贏得的代幣交給孩子。一定要在獎勵表上做好記錄：如果孩子有得到任何代幣，在表單上對應的空格畫上「×」（參

表B　適當的行為

加總	星期日	星期六	星期五	星期四	星期三	星期二	星期一	適當的行為
5	×	×	×	×		×		打掃房間
5	×		×	×	×		×	和弟妹安靜地玩耍
8			×	×		×	×	及時完成家庭作業
代幣總數（一週）=18								

考表B）。在表單最後一欄，加總孩子得到的代幣數量。

「代幣獎勵表」是監控孩子表現適切行爲的方法。一旦表格設計好，只要替換空白表單即可（小叮嚀：至少給孩子一個星期的時間熟悉代幣制度。不要期望孩子在一夕之間改變。）

當孩子的行爲改善後，可以把表單上舊的行爲問題刪掉，增加新的項目。如果家裡還有其他孩子，也爲他們製作一份表單，用代幣制度塑造他們良好的行爲。

當孩子能固定出現良好行爲時，就可以結束代幣制度。這時，要逐漸減少代幣的獎勵。可以減少代幣的數額，或減少發放代幣的次數，例如，由一天一次，改爲一週發放一次。最後，完全取消代幣制度。

代幣制度的主要優點在於以正向的方式管教孩子。你不必斥責也不必懲罰孩子的不當行爲——他只是得不到當天的代幣。而孩子爲了贏得代幣，會

在次日更努力表現自己。

【適用六到十二歲／青少年】

【負向回饋】

33 學習擒拿的技巧

父母利用「擒拿」的技巧，制伏孩子衝動性的行爲。但在過程中絕不能傷到孩子。你要用整個手臂抱住孩子，阻止他攻擊性的行爲。在過程中，要讓孩子的呼吸保持順暢；之後，你可以以這樣的姿勢和孩子一同站立一會兒，或帶著他一起坐下來。

若使用得當，擒拿技巧還可以保護年幼的孩子免於危險的情境。例如，當孩子試圖接近一隻野狗，或當孩子衝到大街上時。在那種狀況下，孩子如

果不理會父母的口頭警告，後果將不堪設想：孩子可能會被狗咬，或被車撞到。這時，父母藉由擒拿技術，就能夠立刻有效地保護孩子。

對於那些沒有那麼危急，但具有潛在危險性的狀況也一樣。例如，父母鄭重地要求孩子停止某個舉動，像在家裡奔跑，但孩子不予理會，繼續奔跑。孩子可能一不小心絆到什麼，跌下樓梯，或撞到牆壁。因此，口頭制止無效後，父母就可以使用擒拿技巧，約束孩子的行爲，直到孩子同意停止先前的舉動爲止。一旦父母鬆手，孩子可能恢復之前的行爲。這是孩子試探父母的方式，看你是否會切實執行，所以，要隨時準備再約束住他。

在使用擒拿技巧時，要永遠保持冷靜和自制。這樣才能幫助孩子控制他自己的行爲。藉著保持冷靜，可以避免將保護孩子的原意轉變爲親子間肢體上的衝突。

【適用二到五歲】

34 面壁思過法

「面壁思過法」是一種輕微的處罰方式，效果很好。如果使用得當，可以教導孩子自我控制行爲。身爲成人，我們將自制視爲理所當然，但當我們面對孩子時，自制就變得格外重要，而且是一項具有挑戰性的工作。利用面壁思過法，你將孩子馬上調離「犯罪現場」，也就是不當行爲發生之處，讓他獨自待在一個孤立的處所。

房子的角落或某個小房間，是讓孩子面壁思過法最好的地方，在那裡可以避免受到電視、玩具，或其他孩子的干擾。（孩子如果希望坐著面壁思過，可以給孩子一張椅子。）許多父母在孩子行爲乖張時，便命令他們回房間去。我不建議這種做法，有兩個理由：第一，孩子的房間通常充滿各種有趣的東西，這讓孩子很難專心去檢討自己的行爲。第二，孩子的房間（理想上）應該是他個人的蔽護所——能讓他感到自在和愉快的地方。不要讓孩子的房間跟任何懲罰聯想在一起。

同時，絕對不要把孩子關在衣櫥或窄小黑暗的地方，對孩子來說，這會是很恐怖的經驗。如果讓孩子感到不舒服或害怕，孩子只會用面壁思過的那段時間想著他的害怕和不安，而非他的不當行爲。把孩子關在狹窄黑暗的空間裡，是種虐待兒童的行爲，可能導致心理上持續的傷害。

另一個考慮的重點是，你要讓孩子面壁思過多久？一般的原則是，孩子的年齡等於進行面壁思過的時間。例如：

五歲：五分鐘。

六歲：六分鐘。

十歲：十分鐘。

注意：不要對二歲以下的孩子使用面壁思過法。

當孩子出現衝動和破壞性行爲時，面壁思過法特別有用。爲了進一步瞭解面壁思過法的運作方式，讓我們來想像一下：

有個六歲大的男孩，粗暴地捉弄他的弟妹。父母出聲制止，但他不理會，還是繼續不當的行爲。這時，父母要以冷靜的態度對那個男孩說，該是進行面壁思過的時候，然後把他帶到房子的角落或某個房間去。孩子可能不願意，所以父母要準備好以強制的方式（在不傷到孩子的原則下）拉他離開，這時孩子可能又踢又叫。父母要清楚地告訴孩子，他必須面壁思過一會兒，冷靜下來，控制自己的行爲。（許多父母發現這時候利用計時器來設定時間很有用。）只要孩子再犯，父母應該立即命令孩子再去面壁，直到他眞的冷靜下來，不再做出不當行爲爲止。

面壁思過法也可以用在外出的時候。當孩子在公衆場所，像超市、百貨公司或餐廳，出現不聽話或破壞性行爲時，你也可以執行面壁思過法。冷靜地告訴孩子，他必須面壁思過，然後帶他回車上坐著。

和孩子一起待在車上，其餘就遵照一般的原則和時間來進行。靜靜地坐在車上，可以讓孩子看書、安靜地玩或休息。

提醒：如果孩子當時極度抗拒面壁思過，試著使用「忽略法」（方法一），待回到家後，晚上要孩子提早半小時上床睡覺。並告訴孩子，因爲他這天早上不肯爲不當的行爲面壁思過，所以要提早半小時上床。

在孩子學習自我控制這門困難的課題時，父母應該做個好榜樣。在進行面壁思過法的過程中，你愈是顯得自制，孩子就愈快學會控制自己的行爲。

【適用二到五歲／六到十二歲】

35 沒收物品

學生如果在課堂上出現像嚼口香糖、吃糖果、傳紙條、看漫畫書、看雜誌這類不當行爲，老師最常制止的方式就是把東西沒收。所以，當孩子也出現類似的不當行爲時，就把那樣東西沒收。如果孩子年紀未滿二歲，你可以等到孩子年齡夠大，能夠適當地使用該項物品時，再把東西還給他。（把東西沒收的目的不是爲了懲罰孩子，而是爲了保護他，也避免東西受到損壞。）

我建議，如果孩子的年齡在二到五歲之間，把東西沒收一天；六到十二歲，沒收二天；如果孩子已經到了青少年階段，則沒收一個星期。清楚地向孩子

解釋之所以要沒收物品的原因，以及你要保管這件物品多久。

絕對不要以剝奪與孩子的健康及安全有關的基本需求，做爲懲罰的方式。例如，取走孩子的食物、衣物，或把孩子趕出家門。

如何取走孩子的某樣東西，以制止他不當的行爲？做法很多，下面是一些建議：

◎如果孩子拿玩具打人，沒收玩具。

◎如果孩子整夜打電動玩具，沒收電動玩具。

◎如果孩子不好好照顧寵物，把寵物交由成人或某個朋友代爲照顧幾天。

◎如果孩子到不該去的場所，沒收孩子的代步工具（例如滑板、自行車、直排輪等）。

當然，就跟老師的做法一樣，這些東西你都要再還給孩子，並且讓他們明白那個不當行爲不該再發生。如果再發生，你會再次沒收他的東西，直到他糾正自己不當的行爲爲止。

【適用二歲以下／二到五歲／六到十二歲／青少年】

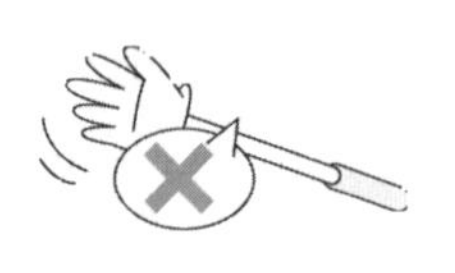

36 補償不當行為造成的損失

讓孩子補償因他的不當行爲而被他弄壞或搞丟的物品。

有個男孩用棒球打破玻璃窗，他的父親這樣回應：「小伙子，修理玻璃的費用要從你每個月的零用錢裡扣除。」這位父親要求兒子要爲自己的行爲負責。

讓孩子賠償的方式很多：賠償金錢（譬如上述打破玻璃窗的例子），賠償物品，提供勞務（讓孩子多做家務），以口頭表示懺悔（例如向受傷的人道歉，說「對不起」）。

當孩子對人態度粗魯惡劣時，父母必須要求孩子向對方道歉。我有個朋友，在她成長過程中，她母親教育她的方式，提供了一個很好的例子。只要我那位朋友罵她弟弟髒話，她母親就要她對弟弟讚美五句。（所幸，這條規則也適用在她弟弟身上。）於是，她可能就得對弟弟說：「你的髮型很好看」，「你的舞跳得眞棒」，「你很聰明」這類讚美。

我的朋友對我說，當時要說出那些讚美的話很不容易，也很讓她反感。但是，她辦到了。我眞要爲我朋友的母親喝彩，她眞的瞭解補償對受傷心靈和自尊的重要性。

透過補償，孩子學會爲自己的行爲負責。他們學會如何挽救在自己和父母眼中的自我形象。

【適用二到五歲／六到十二歲／青少年】

37 剝奪權利

「禁足」是現在父母常用的一種管教方式。禁足是剝奪孩子某項權利——不能出門參加活動。你可以暫時剝奪的權利還包括：不能打電動玩具，不能打電話或看電視，不能使用代步工具，像直排輪、滑板、自行車。

和其他負向回饋一樣，權利剝奪的期限要合理。如果孩子只有二到五歲大，我建議只剝奪一天；六到十二歲，二天；青少年則一個星期。要確實告知孩子權利剝奪的時間有多長，以及剝奪的理由。和孩子解釋他的行爲爲何不當。解釋要詳細具體。

絕對不要以不准吃飯的方式懲罰孩子。（進食是天賦人權，不能剝奪。）

有些父母會剝奪孩子的零用錢，做爲處罰的方式，對於這點，我想提醒幾句。我不認爲這種做法恰當，因爲大部分的零用錢都是孩子每週分擔家務賺來的，如果是這種狀況，零用錢本身是對孩子付出勞力的獎勵。我認爲，如果孩子有遵照約定做好他的工作，他就有權獲得零用錢，這是當初你和孩子做好的協議。如果是這樣，我就不會去剝奪它。

權利則不同，它並沒有事先約定好。權利是孩子不用付出任何義務就能得到的東西。因此你可以隨時取走它們！到底剝奪哪種權利對孩子比較有效，可能需要一番試驗的功夫。

提醒：如果不當行爲繼續發生，嘗試剝奪不同的權利。重要的是，執行要徹底，因此，若有必要，就把電視搬出房間，把滑板或電動玩具藏起來。

【適用二到五歲／六到十二歲／青少年】

38 利用自食惡果的方法

「自食惡果」是讓孩子嚐嚐他的不當行爲所造成的後果。例如，如果孩子拒絕吃晚飯，肚子會餓；如果孩子吃太多糖果，肚子會痛；如果他深更半夜看恐怖片，會做惡夢；如果孩子忘了帶外套，在學校會冷；如果孩子把他的腳踏車忘在屋外，可能有兩個結果：一，腳踏車因爲沾到露水生鏽；二，腳踏車被人偷走。

孩子如果不小心弄壞玩具，會有什麼惡果？惡果就是他再也不能玩那樣玩具。這時候，父母可以這樣回應：「眞可惜，你把玩具弄壞了。我知道你

非常喜歡這件玩具。我相信以後你會更小心地使用你的東西。」

自食惡果的效用很大，父母通常連斥責或罰處的力氣都省了。試著找出孩子不當行爲背後的惡果，好好善用它。這是教孩子對自己行爲更具有覺察力，以及成爲一個更負責任者的輕鬆做法。

【適用二到五歲／六到十二歲／青少年】

39 自行決定後果

這個方式是讓孩子自行決定要爲不當行爲承受什麼樣的後果。孩子通常比較喜歡這種方式，而且認爲比較公平，因爲他們有機會自己選擇要承受的負向後果；而父母則欣然見到孩子樂意爲自己的行爲負責。

如果採用這個方式，你只須要求孩子思考自己的行爲，並且自己決定要承受什麼樣的後果。不過，如果孩子提供的是不合理的後果（年紀小的孩子傾向過度嚴厲的自我懲罰），你就必須予以駁回。

所謂不合理，是指與孩子的年齡和發展階段不相符的懲罰。過度嚴厲、

會對孩子的身心造成傷害的後果，都是不合理的懲罰；面壁思過幾個小時、毀壞孩子心愛的玩具和私人物品，以及任何肉體的懲罰，也都屬於不合理的範圍。

相反地，合理的後果是與所犯「罪狀」相稱的處罰。同樣要考慮到孩子的年齡和發展階段。合理的後果包括：正確使用面壁思過法（方法三十四），沒收物品（方法三十五），補償不當行爲造成的損失（方法三十六），剝奪權利（方法三十七）。

以下是一些具體的例子：

◎學齡前

行爲：打其他孩子；

自行決定的後果：必須向對方道歉。

行爲：亂丟食物；
自行決定的後果：面壁思過。

◎學齡期

行爲：不做家庭作業；
自行決定的後果：停看兩天電視。
行爲：把直排輪放在屋外；
自行決定的後果：不准玩直排輪兩天。

◎青少年

行爲：拒絕吃晚飯；
自行決定的後果：必須自己做晚飯。
行爲：過門禁時間才回家；
自行決定的後果：一個星期不能打電話。

雖然我不建議經常使用這個方法，但它的確有效。它可以對孩子造成正向經驗，建立日後的責任感，以及對什麼樣的懲罰才具公平性的概念。

【適用二到五歲／六到十二歲／青少年】

40 給予合理的後果

這個方法是要父母想一個合理的方式來處罰孩子的不當行爲，是眞正管教的一種方法，因爲它教導孩子負責和自我控制。父母使用這種方法時，要給孩子選擇合作的機會。例如：

◎如果孩子拒絕吃晚飯……
就不能吃點心。

◎如果孩子大聲吵鬧……

就要到別的房間去。

◎如果孩子不做他份內的家務……

就沒有零用錢可拿。

理論上來說，父母要取得孩子的同意才能進行合理的後果。藉由這種方式，孩子能覺察到自己其實有改變行爲結果的空間。以下是將這種方法應用在年紀比較大的孩子身上的例子：

一位青少年把他的髒衣服隨處扔在自己的臥室裡。父母對他說：「我沒有空每天跟在你的後面替你收拾。如果你不把它們掛好，就不准拿去洗。」

父母不必大吼大叫——孩子行爲的後果就足以使他採取合作的態度。在使用這個方法時，父母要持冷靜的語氣，及實事求事的態度。以下是一些必須謹記的原則：

◎清楚地把你對孩子行爲的期望告訴他。

◎讓孩子爲自己的選擇負責。

◎確實執行後果。

合理的後果和自食惡果不同，前者是事先安排好的；而爲孩子找出合理的後果，則是父母的責任。親職專家多推薦這個方法，因爲如果使用得當，它既安全又具成效；同時能讓孩子學到一件事：你不但鼓勵不要出現不當行爲，也鼓勵適當行爲的出現。

提醒：如果你發現你設定的後果不能得到預期的效果，試試看其他的合理後果，像面壁思過法（方法三十四），補償不當行爲造成的損失（方法三十六），剝奪權利（方法三十七）。

【適用二到五歲／六到十二歲／青少年】

第五部

十種滿足父母需求的方法

41 打電話找人談一談

一百年前，你身邊可能有一大家族的人——叔伯阿姨、父母、堂兄弟姊妹——他們不是跟你同住，就是住在附近。這些親友在你困難的時候，能提供各種援助，例如情感上的支持。但是，今日的生活方式大不相同了。父母通常會發現自己孤立無援，被扶養孩子的重擔壓得喘不過氣來。

爲了你身心的健康，建立自己的支持系統便有其必要性。事實上，在你生活中，支持系統愈多愈好。支持系統可以包括親戚、教友、俱樂部的朋友、自助團體的成員、同事、鄰居以及老朋友或新朋友。一個良好的支持系統，它的形式和大小不一，但都符合以下標準：

◎大多時候，他們能夠隨時支援你。

◎他們是好的傾聽者，不會打斷你的話，不會批評你。他們讓你發洩憤怒、挫折、害怕和痛苦。

◎他們不要求你做任何改變。

◎他們眞的讓你覺得好過一點。

許多父母都覺得，在事件發生的當下打一通諮詢熱線找人談一談，會舒服許多。熱線的工作人員具有關懷人的心（他們通常是經過訓練的義工和諮商人員），能夠眞正地傾聽，給予你所需要的支持。有些熱線二十四小時服務。

你可以在電話簿上找到這些熱線的電話。我鼓勵你將目前你所有的支持系統表列下來，把他們的名字和電話號碼放在電話旁邊。同時，繼續爲未來建立新的支持系統。藉著這樣的方式，你將永遠都不必單獨面對危機時刻。

42 學習放鬆

我們所做的任何事情幾乎都會帶來壓力。搬新家、換新工作、改變飲食或睡眠習慣，這些都會帶來壓力，即使度假都會有壓力。而現在，你已經見識到扶養孩子的壓力。你要怎麼處理日常生活中所累積的這些壓力呢？

人們使用各種方式來減低壓力和緊張，有的方法好，有的方法不好。不好的方法包括：暴飲暴食、抽菸、喝酒、大叫和打架。好的方法包括：跳舞和做各種運動，例如打保齡球、游泳、健走，另外還有按摩、跟寵物玩，和聽音樂。

我建議你在家裡或工作場所，建立一個能讓自己放鬆的地方。你需要考慮燈光、聲音、顏色和傢俱的擺放方式，並利用各種東西來創造一個讓你感到輕鬆的環境。讓那個地方成爲你尋求平靜和安慰的處所。

減低壓力最有效的方法之一是練習放鬆運動，包括：漸近式的肌肉放鬆、靜坐和心像法。因爲它們能讓你的身心完全放鬆——即使睡覺也未必能達到這種效果——所以它具有效力。能達到完全放鬆的運動聽起來好像很複雜，但學起來其實很簡單，而且六十秒鐘後就會出現效果。以下是一些放鬆運動的簡單介紹。

漸近式肌肉放鬆

步驟一：找一個安靜的地方，例如臥室、地下室、辦公室或大樹下的草坪。

步驟二：選擇一個令你感到舒服的姿勢。你可以躺下來，或坐在椅子上。

步驟三：深呼吸。以規律的速度慢慢地呼氣和吐氣。

步驟四：把注意力逐一放在身上各部分的肌肉，從你的腳趾開始，慢慢往上移動。把感覺到身體的變化，用低沈緩慢的聲音告訴自己，例如，你可以說：「我感到腳趾頭有點癢。我覺得腳趾逐漸麻木。」等到身體某一部分的肌肉完全放鬆，就轉移到下一個肌肉群。利用「放鬆、放鬆」這樣的字眼，幫助自己慢慢進入更深層的放鬆狀態。等到你整個身體都放鬆之後，維持這樣的平靜一段時間。

靜坐

步驟一：找一個安靜的地方，像臥室、地下室、辦公室或大樹下的草坪。

步驟二：坐下來，保持你覺得舒服的姿勢。盤腿坐在墊子上，或者採取一般的坐姿，坐在椅子上。

步驟三：深呼吸。保持緩慢有節奏地呼吸。

步驟四：保持放鬆的心情。盡量避免思緒干擾，保持清明的狀態。

步驟五：將注意力集中在一點上，例如一個聲音、一個字或一句話。在靜坐時最常將注意力集中在「嗡」這個聲音上。注意力完全放在你選擇集中的那一點，隨著每次呼吸重複它。持續做二十分鐘。雖然有些選擇當作注意力焦點的東西具有宗教上的含意，但靜坐基本上不具有宗教或哲學上的意涵，任何人都可以利用它來達到更高的自覺、內在的平靜和放鬆。

心像法

步驟一：找一個安靜的地方，像臥室、地下室、辦公室或大樹下的草坪。

步驟二：選擇一個令你感到舒服的姿勢。你可以躺下來，或坐在椅子上。

步驟三：深呼吸。保持緩慢有節奏地呼吸。

步驟四：保持一個能讓你感到愉快舒服的意像或心像。可根據個人的興趣和個性選擇這個心像。例如，如果你喜歡露營和健走，就可以想像自己躺

在高山上，仰望天上的星星。保持這個心像幾分鐘，然後創造一個動態的心像。看著自己在溫暖的夏夜，平靜地躺在滿天繁星之下。試著去體會身體每個感覺：感覺身體下方的大地，聞一聞花香，傾聽蟲鳴。在你享受這戶外美景時，可以對自己說：「空氣很清新，呼吸起來非常順暢。我覺得緊張已從身體裡釋放出來了，並消失在夜色中。」花二十分鐘的時間引導自己進入更深層的放鬆狀態，享受透過心像產生的平靜、快樂和安詳的感覺。

醫生一直警告我們，壓力對健康有害；我想，壓力對我們的家庭也沒有好處。當我們感到有壓力，並感到煩躁不安時，家人間的關係易受傷害。壓力會掌控我們的生活，讓我們產生失控感。所以，固定、有效地尋求放鬆之道非常重要，它不但能讓你感到更有精神，同時能讓你更稱職地扮演父母的角色。

43 記錄家庭日誌

利用記錄家庭日誌的方式來管理你的時間和家庭，是一種有效的方式。使用起來不花錢又很簡便——只要在牆上、大門或冰箱上掛一個常用的日誌。

先在日誌上記下當月重要的事情或活動，包括看醫生、生日、度假。其次，你可以把每個家庭成員每週的活動記錄上去。例如，如果孩子要去托兒所、上游泳課或童子軍活動，把它們記下來。你的家人會上教堂或道場嗎？如果有，也把它們記下來。

你（還有你的伴侶）每週固定要做的事或約會有哪些？如果你必須出門工作，把每個加班日記下來。

現在仔細研究一下日誌，決定你要如何安排當月的其他空閒時間。我建議你一定要安排自己的休閒時間——在那段時間裡，你可以隨心所欲做你想做的事，而不必感到有任何罪惡感，那是屬於你的時間。你也需要每週安排一些可以跟伴侶單獨相處的時間（睡覺時間除外）。經營好你的婚姻關係，全家人都會受益。

最後，安排單獨和孩子相處的時間。如果孩子不只一個，要安排跟每個孩子單獨相處的時間。有位媽媽跟我說，她和她先生擬定了一個輪替的計畫表，來照顧他們的四個孩子。每天晚上，在上床前，其中一個孩子可以留下來單獨和媽媽爸爸相處十五分鐘。這是建立孩子自尊感很棒的方法。父母藉由這種方式表達對每個孩子的關愛，而孩子則在這十五分鐘裡，覺得自己受到特別的對待。

藉由規劃家庭中重要的活動，家庭日誌能讓你減少壓力和家庭中的衝突。家庭日誌能協助你在時間和精力上取得平衡，如此，你就可以做你需要做的事情：照顧家庭，照顧家人，更重要的是，照顧自己。

44 形成自己的支持團體

自助團體廣受歡迎，因爲它們很有用。在美國有上千個針對成人（單身、已婚、離婚）、父母和老人的自助團體。大家來參加這些團體，因爲要分享相同的經驗、相同的興趣或目標。自助團體的成員通常固定聚會，提供情感上的支持，並分享資訊。每個團體各有所長。例如，在父母成長團體裡，你也許能藉由分享自己的經驗，而幫助其他家庭；還可以在你的社區裡認識新朋友。

你不必是專家，就能建立一個屬於你的父母團體。你需要的只是一份關懷的心，以及願意花時間去組織這樣的團體。

要開始一個團體，方法很多。你可以利用口耳相傳的方式，或在社區佈告欄張貼佈告，也可以在當地的報紙刊登廣告。身爲父母成長團體的組織者，你必須考慮以下幾點：

◎你希望團體裡有多少成員？
◎這個團體你希望開放給男性還是女性？
◎你要讓小孩子也參加團體聚會嗎？
◎你要向成員收取會費，以支付一些茶水或資料影印的費用嗎？
◎聚會要在哪兒召開？你家？鄰居家？當地的小學？公園？教堂？
◎聚會什麼時候召開？
◎聚會的時間多長？（父母成長團體通常一週聚會一次，一次一個半小

時。）

◎聚會要一直持續下去嗎？還是會限定幾週後便結束？

◎聚會中的討論要保密嗎？如果是，你可以要求每位成員做口頭承諾（但不具法律效力），禁止在團體外討論團體中的事情。

◎除了是團體的籌辦人，你也希望擔任團體領導人的角色嗎？

身爲團體領導人，你必須決定在聚會前是否要事先擬定議題，或者等到聚會當天由成員自行提出議題。如果你決定規劃每次聚會的議題，就要把讓成員討論的問題記下來，或者可以安排由成員事先擬定下次聚會的議題。

記住，身爲團體領導人，你不是擔任教導的工作，而是鼓勵成員開放和分享自己的經驗和感受。嘗試在團體裡建立起一個具關懷、信任和支持的氣氛。如此，成員很快就會感受到能在團體裡自在地付出和接受他人的付出，感受到在團體裡可以發展身而爲人的信任感，以及身爲父母所需要的技巧。

45 不要破壞另一半的權威，也不要讓另一半破壞你的權威

如果你是和你的另一半共同在一個屋子裡扶養你們的孩子，要支持你的另一半爲成爲一個有效能的父母所做的努力。不管你贊不贊成對方處理問題的方法，但在面對孩子時，你們——孩子的父母——要試著站在同一陣線。只有當你們單獨相處時，才是討論彼此異議的時候，而且要用冷靜、條理分明的方式溝通。

經常花時間與另一半討論有關孩子的教養問題。你們應該相互表達對教養的看法，並且訂定扶養孩子時必須遵守的基本規範。我建議所有夫妻都應遵守以下的規則：

首先，意識到孩子不當行爲的那一方，必須先採取處理行動。多半做父母的會有如下反應：「等你爸（或你媽）回來，看他（她）怎麼說……」從各方面來看，這都是個不恰當的處理方法。父母一方被置於「壞人」的角色；是孩子害怕的一方，在管教上具有較大權威的一方。而另一方，被孩子視爲不具效能，無法獨立行動的人。父母兩方各自扮演這種極端的形象，對孩子而言是不健康的。父母雙方在節制孩子行爲上，應該具有同等的效能。換句話說，千萬不要破壞另一半身爲父母的權威，也絕對不要放棄自己的權威。孩子通常會去操控父母中無力的那一方，所以，你和另一半必須是一個團隊，顯現出同樣有力及平等的形象。

同樣地，當面對一個有關孩子的重大抉擇時，盡量事先跟你的另一半商

討。例如，如果孩子問你週末能不能跟同學一起去旅行，你第一時間的回答最好保持中立的態度：「我會跟你父親討論這件事，我們會盡快告訴你我們的決定。」藉由這種方式，孩子知道決定是由父母雙方共同做出來的，沒有操控的餘地。

當夫妻雙方同心協力、彼此互相支持對方的決定時，管教孩子就容易得多。孩子會學著同時尊重父母雙方，也不會去做「凶的」／「不凶的」，「有力的」／「無力的」，這樣的劃分。

46 自我肯定

如果你是個傳統的父母，在扶養孩子的過程中，可能早感到精疲力盡。家中某些情境可能令你感到無力。你可能覺得家務過度繁重，又不被體諒。你發現在面對孩子時，感到既挫敗又憤怒，懷疑自己當初爲什麼要爲人父母。這些都是爲人父母者常會經驗到的感受，而你有許多方法可以處理這些感受。

在本書前面的部分，我曾建議你打電話尋求額外的支援，或者練習放鬆的技巧（方法四十一和方法四十二）。除此外，你也可以給予自己正向的肯

定。正向肯定就是對自己說一些友善、支持性的話語。例如：

◎我喜歡自己。

◎我正盡力而爲。

◎我原諒自己過去所犯的錯誤。

◎犯錯沒有什麼不對——它們只是我需要學習的課題。

◎我可以自我做主。

◎我能夠控制自己的怒氣。

正向自我肯定是非常具個人化的一種方式。什麼話語能帶給你最具希望和安慰的感覺，由你自己決定。你現在可以花點時間想想，把那些正向肯定的話語寫下來。有時候，把你身爲一個人所具有的力量羅列下來很管用，例如：

◎我是大家的好朋友。

◎我是一個努力工作的人。

◎我是一個負責的單親媽媽（或爸爸）。

隨時都可以使用正向肯定。有些人一大早或上床睡覺前就對自己重複幾句具自我肯定的話，盡量每天都給自己正向的肯定。我相信，你會發現這些話能安慰身爲父母的你，而且它們非常管用。在你心情低落的時候，這些話能讓你重新振作。

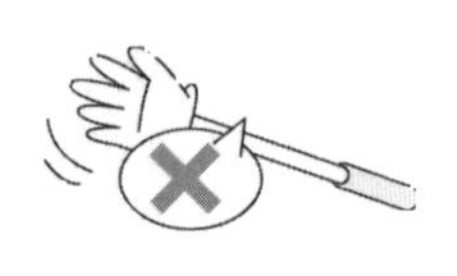

47 和你的憤怒和平共處

有些家庭嚴格限制孩子什麼話能說，什麼話不能說，許多人都在這樣的家庭中長大。例如，父母會如此告誡孩子：「如果你無法說好話，就乾脆不要開口。」因此，這樣的孩子很早就學到生氣是不對的，在家裡，他們要隱藏自己的憤怒。問題是，壓抑的憤怒終究會爆發開來，而且一發不可收拾。

身爲人，身爲一位溫和的管教者，我們所要面對的挑戰之一就是，如何以建設性的方式表達自己的憤怒、如何與他人溝通，特別是如何以敏感和有效的方式和孩子溝通。爲了達到這個目的，我們必須瞭解憤怒這頭「惡獸的本質」，並找出隱藏在這種強烈、具威脅性情緒背後的眞相。

憤怒就像孩子在萬聖節戴的塑膠怪物面具。如果把它揭開，可怕的面具底下其實是一個脆弱、敏感的小孩，一個感到受傷、害怕和困惑的人。但我們永遠不會發現這一點，因爲我們只看到面具。憤怒是我們有時會戴上的面具，用來掩蓋我們受傷的感覺。它是一種防衛，用來避免痛苦的感受，像罪惡感、無力感或害怕。憤怒同時也是一種選擇，它表示我們可以選擇戴上面具。

要與自己的憤怒和平相處，首先要拿掉面具，讓其他人知道你眞正的感受。我並不鼓勵你去罵人、責備人、攻擊人——表露憤怒的方式未必是使用口頭暴力。相反地，我建議你去瞭解和接受憤怒的情緒，並對人坦露憤怒底下的感受——受傷和痛苦的感受。

有時候，我們馬上就能明白自己的痛苦，例如：「你忘了我的生日，我

覺得很難過。讓我覺得自己在你心中不具份量。」但有時候，我們需要更長時間才會發現隱藏在憤怒底下的眞正情緒，例如：「我的繼母搬進我們家，她快把我逼瘋了！我不知道她爲什麼那麼讓我討厭。」

把你的感受和想法寫下來會很有用處。例如，日記就是一個能讓你安全地發洩憤怒的地方；發洩完之後，你可能會更加瞭解自己的憤怒。

下次當你再感到憤怒時，想想以下問題：

◎你是否眞正瞭解發生了什麼事？
◎你是否拒絕讓其他人接近你？
◎你對他人或對自己的期望是否合乎理性？
◎你是否期望別人「讀透」你的心，知道你的需要及想法？

大部分的人都能察覺到憤怒時的生理反應：臉紅、呼吸加快、流汗、胃部緊縮。但事實上，我們的思想才是眞正掌控憤怒的關鍵所在，因爲我們能令自己更加憤怒，或減少憤怒。例如：

（增加憤怒）：「我的老闆眞是個大豬頭，竟然叫我星期六加班！」

（減少憤怒）：「我的老闆現在大概人手不足，眞的需要我的幫忙。」

學習如何培養健康的思想——能減少憤怒的思想——很重要，它能讓你和自己的憤怒和平共處。

從前述例子可以看出，憤怒基本上與需求發生衝突有關。我們認爲，某人或某事干擾到我們的需求時，就會發怒。需求可大（像愛、舒適和安全的需求）；可小，例如孩子會爲了爭最大一塊蛋糕大打出手。國與國之間爲了

爭一塊土地而發動戰爭。在我正在寫作本書之際，我的貓正試圖贏得我的注意（這是牠的需求），而我變得愈來愈不耐煩，因爲我希望牠別來打擾我，好讓我專心寫作（這是我的需求）。

不論是食物、土地或注意力，憤怒因爲個體間爲了爭取彼此的需求而產生。但要避免以對錯的方式來想這個問題，不要認爲別人是故意傷害你，或剝奪你的快樂（這種情況少之又少）；而是把憤怒當成需求之間產生衝突後的產物。

在你一生中衝突會不斷發生，所以，具備解決衝突的策略非常重要。所幸，坊間有很多書籍教人如何有效溝通和如何解決問題。

以下則是一些我自己在解決衝突時所採用的原則：

◎一次解決一個衝突或問題。

◎選擇適當的時機——不要在你疲憊或憤怒時嘗試解決嚴重的問題。

◎如果可能，盡量直接和當事人談。

◎表達你的感受。

◎用清楚簡明的方式表達你的需要。

◎具體說明你要別人做或不要做的事。你希望對方改變什麼？例如：「我希望你每天起床後都把床鋪整理好。」

◎使用「我語句」。例如：「你這樣大叫，我不明白你想要表達什麼。請你不要用大叫的方式來表達。」

◎使用「反映式傾聽」，亦即重複你所聽到的話。例如：「聽起來你覺得很疲倦。」

◎知道什麼時候稍作喘息。如果你覺得憤怒不斷在上升，讓自己稍作喘息。（離開現場，到户外散步，做放鬆練習；或和另一半或孩子取得協議，

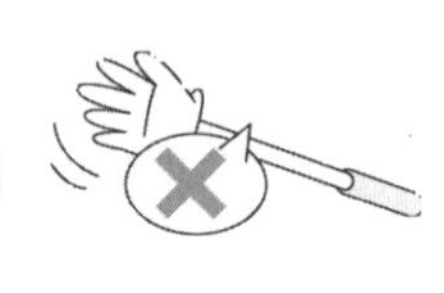

暫時分開一段時間——譬如一個小時。）等到你冷靜下來，能夠理性地對談而非爭吵時再回來。

◎不要攻擊或責怪另一方。

◎把焦點集中在達成協議上；尋求解決的方法。

爲了以非暴力的方式解決彼此的衝突，你必須要控制自己的怒氣。對許多人來說，這幾乎不可能，或至少是一項困難的任務。這類型的人成長在不鼓勵表達情緒的家庭中，所以往往是以突然爆發憤怒的方式來宣洩情緒。這些人兒童時期可能經歷過情緒、肢體或性方面的虐待，帶著未解決的憤怒直至成人階段。

生理和情緒持續受到憤怒影響，是極具破壞性的一種狀況。憤怒會製造緊張、恐懼和不信任感，瓦解重要的人際關係，使人陷入孤單疏離的狀態。

憤怒同時會摧毀一個人身體的健康。長期的憤怒可能造成嚴重的頭痛、胃潰瘍、心臟病。

如果你有難以控制憤怒的問題，可以尋求各種協助。以下列出可供你選擇的方法，請盡量嘗試。

◎參加情緒管理的課程或工作坊。

◎加入支持性團體。（當地的心理衛生單位通常能提供這方面的資訊。）

◎與心理師會談。

◎書店或圖書館裡通常會有與情緒管理、問題解決技巧或壓力管理相關的書籍。

與你的憤怒和平相處即是照顧自己的感受，並且爲自己的憤怒擔起責

任。瞭解自己是有需求的人，並學習以別人能夠理解的方式表達自己的需求。最重要的是，與憤怒和平相處要具備卸下面具的勇氣，坦露自己眞正的感受，如此，你才能從生活中獲得更多的收穫。

48 避免飲酒

酒精是毒藥的一種形式。除了毒害你的軀體，還會毒害你的人際關係，包括你與孩子間的關係。酒精會減低自制力，所以它具有危險性。自制力減低，就是控制力減低。你可能因而傷害到自己，傷害到孩子。到底會造成多大的傷害，誰也不敢保證。

酒精還會影響你的判斷力，你的思考能力，同時影響你的情緒。

有一次，我和一位少女會談，她經歷過一段相當不堪的童年。我知道她的母親吸食大麻並已上癮，所以我要她談一談和母親的關係。這個女孩冷靜

地對我說，跟她母親談話「就像對牛彈琴」一樣。我相信這個比喻也可以用在酒精濫用的父母身上。

爲了孩子，你必須在情緒和身體上，都具有擔當的能力。記住，酒精影響的不只是你一個人，它影響你一家人。如果你有酒精或藥物依賴的問題，要尋求家庭醫生或尋求酒精藥物依賴者戒治專線電話的協助。

49 尋求個人心理治療

每個人都可以尋求心理治療（又稱爲心理諮商）。不管男女，我相信人一生中，總有某個時期能從心理治療中受益。你是否適合接受心理治療，端看你對自己的感受，以及目前的生活狀態而定。但不管怎樣，我想藉這個機會跟大家談談心理治療是什麼，以及它如何進行。日後，如果你感到恐懼、憤怒、孤單、受傷、困惑、焦慮、挫折或憂鬱的時候，便知道要到哪裡尋求協助和支持。

心理治療師是專業的心理健康專家，協助人們解決情緒上的困擾，他們

包括臨床社工師、心理師、家庭諮商師。他們使用各種不同的治療取向和技巧來滿足當事人的需要。例如，有些心理師把焦點放在當事者的童年經驗；有些則側重當事者目前的想法和行爲。有些治療師的療程短，有些療程長。我建議你在找到自覺適合的治療師前，先接受短期療程的心理治療。

個人治療的好處很多。

首先，治療師和個案建立互相信賴的關係。這表示，除非有立即的危險，否則治療師依法必須尊重個案的隱私權（在沒有個案同意下，不得洩露任何有關個案的資料）。「保密原則」使個案能在不爲外界知情的情況下獲得幫助——除非個案同意，否則即使是另一半、你的孩子或父母，都不知道你在接受治療。

第二個好處是收費合理。許多心理治療師在非營利機構工作，收取合理的費用。所以，接受心理治療可說是你對自己最明智的投資。

第三個好處是，和團體治療或家族治療相比，個人治療的好處在於注意的焦點完全在你一個人身上——你的感受、需求和目標都是可以探究的重點。一位好的治療師會協助找出阻礙你獲得快樂和滿足的因素。

你可以從電話簿上查詢有關「心理治療」或「社工服務的組織」，以尋得相關個人治療的資訊。

50 加入父母匿名團體

父母匿名團體是一個全國性的非營利組織，由心理健康專家、行政人員或義工帶領。這個組織爲父母提供免費的團體支持。

我要在這兒與大家分享一些與這個組織相關的資訊。

父母匿名團體不屬於任何宗教組織，參加者可以以匿名的方式（只要透露姓氏即可）加入。團體提供一個安全的處所，讓爲人父母者能在團體中分享他們的疑慮、挫折和關心的問題。藉由團體的力量，大家學習成爲一個更有效能的父母。團體成員一週聚會一次，每個團體有一個指定的催化者（由心理健康專家擔任，提供團體額外的訊息和支持）。這個組織鼓勵成員在團體外保持接觸，在各種親職危機事件中相互扶持。

雖然父母匿名團體並不宣稱它們能提供父母一套神奇的問題解決技巧，但它的確提供學習新技巧，以及發展一個強而有力的支持系統的機會。你可以打電話給當地的社福單位，詢問你所在地區父母匿名團體的資料；也可以寫信給父母匿名團體的全國總會，尋求更多的資訊。

最後需要思考的幾點

我希望你已經從本書中學到很多有關親職的技巧。我們活在一個快速變遷的社會，孩子和成人一樣，要不斷面對新的挑戰。正因如此，現代的父母在扶養孩子上就變得格外困難。要成爲一個具有效能的父母，你必須不斷充實和成長。

可惜這個世界總是充斥著暴力，也許永遠都如此。但暴力未必得進入你的家庭。藉由此書，你和成千上萬的父母一樣，渴望你的家庭成爲一個無暴力的環境。而且，藉由你自己的方法，你爲減少這個世界的暴力貢獻了一份心力。試著對自己多一份耐心。

身爲父母，你面對的是一條漫長、不平坦的道路。你和你的孩子必須同心協力去踏平這條道路。正如你所知道的，它是一條奇妙的道路，雖然經常充滿無法預料的情況；但在這一路上，你不要害怕向人求助。

最後，我希望和你分享有次我跟朋友的一段對話。

我那位朋友她沒有孩子，那時她正在爲我校訂這本尙未完成的著作。她突然停下來對我說：「但願我母親那時曾如此待我！」

她似乎有些憤憤不平。她那時正在看五十個方法中的一條，我想是「選擇你的戰場」一節。

我問她：「什麼意思？」

她說：「這一條對我眞的很管用。」

她接著談起她的童年，一些成長過程中令她感到痛苦的經驗。她談起她

和父母的關係，以及他們曾溝通過的各種問題。最後，她似乎決定要成為一個比她母親還要好的母親。

她說：「等我有了孩子，我父母當初錯待我的狀況，我都要糾正過來。我要把一切都弄對。」

朋友說完，停頓不語，等著我回應。於是我說：「聽起來妳把很多壓力放在自己身上。」

她小聲地說：「我可能就是這樣吧。」

我提醒她：「每個人都會犯錯。只要盡力而為就可以了。」

朋友聽了微微一笑，點頭表示贊同。

現在，在結束本書前，我也要對你說：

朋友，只要盡力而為就夠了，即使天使也只能如此。

101學障，愛不礙

強迫症的孩子怎麼教?

適閱　家有強迫症兒童的父母
　　　學校老師
　　　特殊教育團體

什麼是強迫症？又該如何教導患有強迫症的孩子呢？簡易的辨認方式以及專家的實用建言，讓你在教導強迫症的孩子時，不必再被「強迫症」牽著鼻子走。

■書號　SN2　　■定價　280元

幫助選擇性不說話的孩子

孩子是否只有在某些選擇性或特殊的情境下，才能放心說話；否則便會以低頭、去做其他事來避免和其他人說話與互動呢？如果你懷疑孩子可能有選擇性緘默症的問題，本書能幫助你了解它，並提供有效的辨認和治療方法。

■書號　SN4　　■定價　220元

遲語天才-愛因斯坦症候群

書中的孩子是遲語兒中的特例，他們就像愛因斯坦，資質聰穎卻慢說話，我們可早點發現孩子的問題、更加注意孩子的身心發展，但不要太早為孩子貼上標籤，本書可提供遲語兒的父母不同方向的參考。

■書號　T106　　■定價　220元

0~7歲自閉兒的教養

本書旨在引導人們認識自閉，同時告訴人們應該以怎樣的理念來指導自閉兒童。書中內容全是作者從孩子們身上學來的，既實用又對自閉兒童今後的生活助益極大。

■書號　SN1　　■定價　250元

動個不停的孩子－過動兒阿諭的故事

總是動來動去，片刻都靜不下來的阿諭，是讓媽媽又愛又頭痛的寶貝！嘿咻嘿咻，究竟媽媽是怎麼幫助過動兒阿諭呢？請看魔鬼媽媽跟阿諭的「大戰」記事！

■書號　SN3　　■定價　220元

過動兒的教養妙方

一本針對台灣過動兒家庭所編寫的書，結合作者多年的經驗、國內外專家學者的建議，對過動兒所遭遇的各種困境，提供各項資源及解答。

■書號　T114　　■定價　220元

過動兒小米的生活紀事

過動兒究竟是天使還是魔鬼？本書以真實的成長故事為題材，逐步、逐項來探討。藉由此書，你將對過動兒有更深一層的了解。

■書號　T115　　■定價　210元

孩子敏感、漫不經心，怎麼辦?

過度敏感、不容易相處、注意力不夠集中……每個孩子都有不同類型的天生氣質，如何依照孩子的特性來調整教育方式，本書將協助父母把偏執性格轉換成孩子的無價資產。

■書號　J7　　■定價　240元

孩子語言發展遲緩，怎麼辦?

為什麼孩子遲遲不說話？本書藉由作者的親身經歷，以及科學研究兩方面來探討；並與一群家有遲語兒的父母組成團體，將他們的經驗集合成書，內容淺顯易懂，提供一解決之道的參考。

■書號　J11　　■定價　180元

9冊　總價2040元　家長、老師、輔導人員適讀

101生活教養

不乖就一定要罰嗎?

家有青春期孩子的父母們，現在是打開此書，學習做個「有尊嚴的父母」的時候了！父母們該如何既不專制、又不縱容，並且以開放的溝通方式表達出體貼與關心呢？讓本書教您！

■書號　J16　　■定價　200元

教養兵法25禁計

美國親子教育專家彼得．傑克沙博士教養力作，以20多年豐富的輔導經驗，為父母指出教養兵法上的25項禁忌之計，深入淺出地告訴您為何要避免、以及如何能避免使用這些下下之策，讓您可以知己知彼，與孩子共嚐雙贏戰績！

■書號　J17　■定價　270元

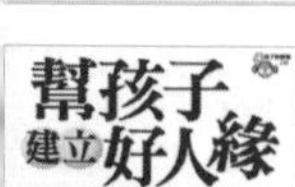

幫孩子建立好人緣

人脈存摺是未來的成功關鍵，好人緣不是一天建立起的，卻會影響孩子一生！愈早幫孩子建立好人緣，愈能讓孩子未來的人生順利開闊！

■書號　J15　■定價　220元

任性的孩子怎麼教?

本書作者群皆為兒童發展的專家，以簡單的文字、容易執行的教養方式，提供父母各種化解孩子任性行為的妙招；只要了解孩子任性背後的成因，善用妙方，小霸王也能變成貼心的小寶貝！

■書號　T126　■定價　200元

何必和孩子大小聲

您是否常因為與孩子意見不和，或是孩子不服管教，而對孩子大呼小叫？但您吼的越大聲，子女和您的距離就越遠！本書將從親子在生活上常遇到的問題，提供家長們各種可以心平氣和解決的教養技巧。

■書號　J14　■定價　200元

0～3歲的生活教養

是天使也是惡魔！孩子一瞑大一吋，狀況也是一天比一天還要多！小至孩子的飲食、洗澡，大至學步走、上廁所等，都讓緊張的父母們隨時跟在孩子的後面跑。教養0~3歲的孩子，真有這麼累人嗎？您用對方法了嗎？

■書號　T120　■定價　180元

幫助孩子說出心裡話

全國教師會推薦書

美國親職教育家塔佛博士另一佳作，榮獲美國教育界好評不斷！絕佳的實例，有力的洞悉，智慧的建議，本書廣泛的與您分享教養與引導孩子的關鍵。

■書號　J5　■定價　270元

孩子非學不可的成長技巧

中華民國全國教師會
第十二次推廣閱讀好書推薦

二十年豐富的諮商經驗，榮獲美國教育界一致讚賞，解答現代父母心中最大的疑問：「好孩子怎麼教？」亂發脾氣的孩子，橫衝直撞、愛闖禍的個性……本書告訴父母如何培養出身心健康的好孩子。

■書號　J6　■定價　270元

3～6歲的生活教養

當您終於慶幸孩子「長大了」，不再需要24小時緊盯不放時，卻又發現，固執又吵鬧的他，更有本事搞得您情緒起伏不定！本書教您如何當個聰明的父母，不再讓孩子牽著您的鼻子走！

■書號　T125　■定價　180元

9冊　總價1990元　家長、老師、適讀

廣　告　回　信
臺灣北區郵政管理局登證
北台字第 15117 號

10079

新苗文化事業有限公司

地址：台北市 10079 和平西路一段 150 號 4F 之 4
電話：02-23320430
郵政劃撥：18324544　新苗文化事業有限公司

新苗文化事業有限公司讀者回函

謝謝您在眾多書海中，選購了新苗文化公司的書。

為了加強對讀者的後續服務，請填妥下列問卷，直接剪下寄回《免貼郵票》或傳真(02)2332-9817。日後您將會收到我們的新書書訊，以及我們所舉辦的各項優惠。謝謝您的支持！

◎您購買的書名：______________________

姓名：____________ 您的生日：__________ 您的性別：□男□女

您的 Email：______________________《請務必填寫》

您的地址：______________________ 電話：__________

問題：

1. 您的學歷：
□國中及以下 □高中 □專科學院 □大學 □研究所以上

2. 您的職業：
□學生 □教職 □社工 □製造業 □銷售業 □金融業 □資訊業
□大眾傳播業 □服務業 □自由業 □公務員 □其他__________

3. 您從何處得知本書的訊息？（可複選）
□書店 □報紙 □雜誌 □廣播 □廣告 DM □書立得 □百仕
□校園書展 □網路書店 □電子報 □親友、老師推薦 □其他______

4. 您對本書的評價：（請填代號 1.非常滿意 2.滿意 3.偏低 4.再改進）
書名______ 封面設計_____ 版面編排_____ 內容_____ 價格_____

5. 您會推薦本書給朋友嗎？
□會 □不會，為什麼______________________

6. 您對新苗文化的建議或本書之錯別字：

____

____

教養文庫　T0127

不打不罵孩子50招 Gentle Discipline——50 Effective Techniques for Teaching Your Children Good Behavior

作　　者／唐萊特（Dawn Lighter）
譯　　者／史錫蓉
編　　輯／張慧茵
發 行 人／王聖毅
出 版 者／新苗文化事業有限公司
地　　址／台北市和平西路一段150號4樓之4
電　　話／(02) 2332-0430（代表號）
傳　　真／(02) 2332-9817
郵政劃撥／18324544
版　　次／2007年7月一版一刷
國際中文版權代理／大蘋果藝術文化有限公司

GENTLE DISCIPLINE——50 EFFECTIVE TECHNIQUES FOR TEACHING YOUT CHILDREN GOOD BEHAVIOR by DAWN LIGHTER

定價／180元
ISBN／978-957-451-335-2

國家圖書館出版品預行編目資料

不打不罵教孩子50招／唐萊特（Dawn Lighter, M. A.）著；史錫蓉譯.
-- 一版. -- 臺北市：新苗文化，2007〔民96〕
面；　公分
譯自：Centle discipline: 50 effective techniques for teaching your children good behavior
ISBN 978-957-451-335-2（平裝）
1. 親職教育　2. 育兒　3. 父母與子女

528.21　　96008256